HET BEGON MET EEN BLOWTJE

Hélène

Het begon met een blowtje

Geschreven in samenwerking met
Marie-Thérèse Cuny

the house of books

Met toestemming overgenomen. Het sonnet van José Maria de Heredia
'De veroveraars' op blz. 207 in de vertaling van Paul Claes (De Revisor 1984, 5, p. 35).

Oorspronkelijke titel
J'ai commencé par un joint
Uitgave
Oh! Éditions, France
Copyright © 2006 by Oh! Éditions, France. All rights reserved.
Copyright voor het Nederlandse taalgebied © 2007 by The House of Books,
Vianen/Antwerpen

Vertaling
Richard Kwakkel
Omslagontwerp
Studio Jan de Boer BNO, Amsterdam
Omslagdia
Getty Images/Daniel Lai
Opmaak binnenwerk
Mat-Zet, Soest

ISBN 978 90 443 1747 3
D/2007/8899/73
NUR 402

1

Ik spuit eerst.

'Het is goed spul, geloof me…'

We zitten op de zesde verdieping van een gebouw, alleen wij tweeën, in een vervallen meidenkamer, toevluchtsoord van een vriend. Ik ben vijftien, Jarv is negentien en mijn beste vriend. Hij is als een broer voor me en helemaal niet het type van de aan lager wal geraakte junk, de egoïst die alles voor zichzelf houdt, integendeel. Hij is al veel langer aan de drugs dan ik, maar als we allebei zonder zitten, weet hij altijd ergens een restje heroïne op te scharrelen. Normaal gesproken deel je je gif niet met anderen, met niemand. Maar met zijn vermoeide glimlach weet hij me altijd weer op mijn gemak te stellen.

'Ik heb onze redder in nood gevonden.'

Dit keer had ík hem gevonden, onze redder in nood. Hij

zet zijn shot na mij. Ik zak al snel weg en voel een vreemd soort opwinding van binnen, heel anders dan anders. Ik heb ook een rare smaak in mijn mond. Als hij de spuit heeft leeggemaakt, legt hij die op de grond.

Ik ben de enige die wat zegt, tenminste, zo herinner ik het me.

'Tjonge, of hij is te goed, of hij is versneden met cocaïne, maar het is in ieder geval potig spul.'

Je weet nooit welke sterkte je krijgt van de dealers. Normaal gesproken is de heroïne zuiver, maar ze doen ermee wat ze willen. Coke is erg duur, decadent, meer iets voor mensen met geld, volwassenen. Waar wordt gegeten, gedronken en gepraat, daar is coke, daar waar mensen de indruk willen wekken briljant te zijn. Niet echt de 'levensstijl' van opgegeven jongeren.

Smack daarentegen is de drug van de zelfdestructie, van de straat. Met heroïne voel je geen kou en geen honger, heb je geen behoefte aan liefde en verdraag je je eigen ellende beter. Heroïne werpt je op jezelf terug, sluit je af, zet je vast, terwijl coke je juist openstelt voor anderen, zowel geestelijk als lichamelijk, maar op een andere manier dan alcohol, dat je een vertekend beeld van de werkelijkheid geeft. Een shot heroïne brengt een destructieve emotie teweeg, de chemische illusie van een helder geestelijk 'inzicht', een flash die een even vluchtig als bedrieglijk gevoel van verlichting schenkt. Alsof het regime van onze innerlijke gevangenis

even wordt versoepeld, om vervolgens pijnlijker, onbuigza-
mer en beklemmender te worden dan ooit tevoren. Niets
meer dan passieve opluchting. Alsof je in een gigantische,
vormeloze wattenbol zit, in duizend stukken uiteengesla-
gen, afgestompt noch opgewonden, maar kalm en berus-
tend, in staat om met anderen te communiceren, vriendschap te sluiten in een grenzeloze, eindeloze wereld,
gevrijwaard van werkelijkheid en wanhoop. Maar dit keer
hebben we geen tijd voor communicatie.

Vrijwel meteen na het shotten begint Jarv hevig te schokken en te trillen. Ik weet dat hij epilepsie heeft en daarom altijd tabletjes op zak heeft.

'Verdomme, wat een sterk spul vandaag.' Mijn kop vult
zich gestaag met watten, maar dat dringt toch nog tot me
door. Ik doorzoek al zijn zakken, vind de tabletten, druk
met alle macht zijn verkrampte mond open en probeer hem
het medicijn te laten doorslikken. Even later neemt het
schokken af en wordt hij wat rustiger. Hij heeft de tablet
doorgeslikt, denk ik, en is in slaap gevallen. Ik ga naast hem
liggen en streel zachtjes zijn wang.

'Het gaat alweer beter. Kom, we gaan pitten.'

Ik ben volkomen uitgeteld en val binnen een paar tellen
in slaap, met mijn hand nog bewegingloos op zijn wang.

Diepe slaap, vergetelheid.

De volgende ochtend schrik ik wakker. Ik moet naar
school. Ik hijs me haastig in kleren waarvan ik niet eens

weet of ze wel van mij zijn. Vaak loop ik nog half bewusteloos de klas binnen. Als ik de nacht ervoor naar de disco ben
geweest en pas om een uur of vier in bed rol, ben ik de volgende ochtend nog helemaal kapot. Als ik whisky bij de
hand heb, neem ik een groot glas bij het ontbijt. Om de dag
door te komen.

Die ochtend ren ik het gebouw uit en laat Jarv slapen. Hij
hoeft niks meer. Hij heeft geen plannen meer, studeert niet
meer, is niks meer. Maar ik probeer de schijn nog op te
houden, de leugen te leven, lessen te volgen, zelfs in mijn
deplorabele toestand. Ik wil niemand kwaad doen, dat is er
al genoeg thuis. Mijn ouders zijn gescheiden en mijn zus
lijdt aan boulimia, maar heeft eigenlijk al sinds haar prille
jeugd problemen.

Niemand weet van mijn nachtelijke omzwervingen. Ik
heb een kamer aan het eind van de overloop van het appartement, dus ik kan zonder problemen de deur uit glippen.
En zelfs als ik word betrapt, heb ik een antwoord klaar: 'Ik
was al weg.' Of: 'Ik heb bij een vriendinnetje overnacht.'

Ik kan me niet herinneren ooit verantwoording te hebben
moeten afleggen, behalve aan mijn oudere zus en dat was
wanneer ik had gedronken. Ik deed me tegoed aan de drankvoorraad van mijn ouders, eigenlijk bestemd voor de klanten. Dan schonk ik snel een glas vol en zette de fles terug.

Een keer kwam ze de woonkamer binnen toen ik net iets
had ingeschonken wat eruitzag als appelsap.

'Wat heb je daar? Mag ik ook wat?'

'Nee, niet aankomen, het is geen appelsap.'

'Wat is het dan?'

'O niks, niks aan de hand.'

Ze loopt op me af en houdt haar neus boven het glas.

'Maar dat is drank. Wat is het?'

'Ach niks, niks bijzonders, het is whisky.'

'Jij? Whisky? Drink jíj whisky?'

'Het is geen drama of zo, hoor, gewoon af en toe, voor de lol.'

'Heb je gezien hoeveel er in dat glas zit?'

'O, dat was me nog helemaal niet opgevallen, ik ben uitgeschoten, ik drink dat spul ook nooit! Ik gooi het meteen weg ook.'

Ik weet nog dat ik uit mijn stoel kwam om het glas leeg te gooien, maar ook dat ik er al twee op had voordat mijn zus de kamer binnen kwam. Ik neem aan dat ze het destijds tegen mijn moeder heeft gezegd: 'Wist je dat Hélène drinkt?'

'Hélène, waar zijn al die flessen J&B in de kast gebleven? Is dit alles wat er over is?' vroeg mijn moeder me later, herinner ik me nog.

'Als Philippe me thuisbrengt na een uitstapje op de motor, of Patrick, geef ik ze meestal een glas. Dat gaat best snel, met vier of vijf vrienden zit je algauw aan een fles. Ik had er geen erg in. Het zullen hooguit twee of drie flessen zijn geweest.'

'Zo te zien eerder zes of tien.'

'Nee, dat zou me verbazen, dat geloof ik niet...'

En daarmee had ik haar aan het twijfelen gebracht.

Mijn ouders dronken niet, en roken deden ze ook niet. Zelf ben ik er rond mijn dertiende mee begonnen; ik was nog jong, maar zag er ouder uit. En ik begon meteen goed, bijna tot ik erbij neerviel, alleen maar om dat vreselijke gevoel van onbehagen kwijt te raken dat me dagelijks kwelde. Ik liet me volledig gaan, verstand op nul, en gaf ongeremd uitdrukking aan mijn onvrede. Het keurslijf van de puber werd aangehaald en knelde steeds meer. Ik had het gevoel niet meer mezelf te kunnen zijn en dat die dwangbuis minder knelde als ik wat had gedronken, dat ik dan een beetje opleefde en makkelijker met anderen kon praten. Ik dronk niet omdat vrienden dat deden, maar om uit mijn innerlijke gevangenis te ontsnappen. Alcohol verdreef het gevoel dat volwassen worden nog benauwender was, dat er passie noch hoop in de menselijke natuur besloten lag.

Ik werd volwassen, zag er het nut niet van in, maar had toch grote haast ouder te worden, omdat ik weigerde nog langer kind te zijn. Als volwassene zou ik het ouderlijk huis kunnen verlaten. Ik voelde me prettig bij jongeren die ouder, zelfstandiger en vrijer waren dan ik. Ik had een sterke behoefte aan innerlijke vrijheid, zodat ik één van hen zou kunnen worden en me samen met hen in het volle leven kon storten.

Ik was me absoluut niet bewust van die sprong in het diepe, alleen van dat onbestemde gevoel van eenzaamheid en onbehagen. Alcohol maakte dat gevoel draaglijk en stelde me in staat in de buitenwereld te overleven, te lachen, feestjes te bouwen, te dansen... Zonder drank was ik in mezelf gekeerd, een eenling, kwetsbaar, gekwetst.

Ik kon me niet meer uiten in sport, kunst, of in welke hobby dan ook. Vroeger was ik sportief, een redelijk goede zwemster, ik hield van skiën en watersport, maar evengoed van klassiek en modern ballet. Ik was dol op dieren en dan vooral op dolfijnen, door de vrijheid die ze voor mij symboliseerden. De natuur fascineerde me, door de wijsheid en echtheid die ze in mijn ogen belichaamde. Later was dat allemaal anders. Ik zette mijn tas weg zodra ik thuiskwam van school, at een paar happen en ging weer de straat op, om daar zo lang mogelijk te blijven. Ik deed mijn eigen krachtmeting in de straten rond onze flat. Dan glipte ik de deur uit om te rolschaatsen, tot ik moeiteloos door onze wijk slalomde. Ik ging overal achteraan, alleen maar om van huis weg te zijn. Rolschaatsen was van mij en voor mij. Het betekende vrijheid, gaf nieuwe indrukken, het was een overwinning op mezelf. Hetzelfde gold later voor alcohol, de eerste joints, heroïne en de naald.

Overal en altijd ben ik op de vlucht, weg van mijn kindertijd. En die dag ren ik terug naar Jarv, die waarschijnlijk nog ligt te slapen. Maar als ik in de meidenkamer kijk, is hij weg. Het bed is leeg.

Iemand, ik weet niet meer wie, vertelt me wat er is gebeurd: 'Nee, hij is er niet, hij is vanochtend naar de Eerste Hulp gebracht, maar hij was al dood.'

'Dood? Nee! Onmogelijk! Welk ziekenhuis?'

Ik ren als een gek naar de Eerste Hulp van het dichtstbijzijnde ziekenhuis. Bij de receptie vraag ik naar een jongeman die met een ambulance is gebracht en geef een vluchtige beschrijving van Jarv: 'Het is een Antilliaan en hij heet Jarv. Hij heeft heel kort haar, is lang en erg mager. Ze hebben hem vanochtend gebracht. Ik heb gehoord dat hij dood is!'

'Nee, dat kan niet, ik heb de hele nacht dienst gehad op de Eerste Hulp en er is geen dode binnengebracht. Dan had ik het zeker geweten. Maar wie bent u? Familie?'

Ik haal opgelucht adem en vertel mezelf dat hij ergens in het ziekenhuis op zaal ligt.

'Ik ben zijn zus, nou ja, door adoptie dan.'

'Maakt u zich geen zorgen, ik weet zeker dat hij niet dood is, we vinden hem wel. Gaat u maar naar de hoofdreceptie, daar…'

Ze wijst waar ik heen moet. Ik vlieg van de Eerste Hulp af naar de liften en druk zenuwachtig op alle knoppen. Als één van de liften opent, roept de receptioniste me terug: 'Juffrouw, neem me niet kwalijk, wat was zijn naam?'

'Jarv.'

'O, juist, dan heb ik hier toch een ontvangstbewijs, maar hij is niet naar de Eerste Hulp gebracht. Het spijt me, hij is overleden. Dat wil zeggen, hij werd dood aangetroffen.'

'Dood? Aan een epileptische aanval? Is dat het? Waaraan is hij gestorven?'

'Hij is afgelopen nacht aan een overdosis overleden.'

De klap komt hard aan. Vlak naast me is hij doodgegaan, terwijl ik liefdevol zijn wang streelde, en 's ochtends heb ik niet eens gevoeld dat hij koud was. Ik slief, was ver weg, kapot, en hij stierf, dicht tegen me aan en toch zo eenzaam, van God en alleman verlaten. En ik leef nog...

Het laatste wat ik tegen hem heb gezegd, staat me nog helder voor de geest: 'Het is goed spul, geloof me.' Ik heb niet eens meer tijd gehad te zeggen dat ik van hem hield.

De dood is een gegeven, een harde realiteit, en dat was de eerste keer dat ik er onzacht mee in aanraking kwam. Mijn vriend, mijn allerbeste vriend, mijn Jarv was in zijn laatste shot gebleven. Anders praatten we honderduit met elkaar, en nu zou alles wat we elkaar nog te zeggen hadden nooit meer worden gezegd. En zijn genegenheid was zo belangrijk voor me. Hij waakte zo welwillend over me, om me te behoeden voor nog meer pijn en verdriet. Ik was een broer kwijtgeraakt. Maar in plaats van hem dat allemaal te vertellen, had ik het opgejaagd door onthoudingsverschijnselen en het vooruitzicht van snel genot gelaten bij: 'Het is goed spul, geloof me.'

Ik was zacht tegen hem aan in slaap gevallen, in de vaste overtuiging hem de volgende dag weer te zullen zien, en na school terug gerend om hem te wekken. Ik had zelfs croissantjes meegenomen.

Ik ben me ervan bewust dat ik hem heb laten doodgaan omdat ik verdoofd was door heroïne en dat hij, als ik minder zelfgenoegzaam was geweest, nu nog in leven zou zijn geweest. Als er bij mij ook maar een spoortje bewustzijn over was geweest, had ik gezien, had ik gevoeld dat hij niet in slaap was gevallen. Dat doet nog het meest pijn. Niet te hebben gezien dat hij doodging, niet te hebben gevoeld dat mijn allerbeste vriend lag dood te gaan. Waarschijnlijk is de dosis heroïne van die avond voor een epilepticus dodelijk geweest, want ik heb dezelfde dosis genomen en leef nog. Ik heb hem niet vermoord, maar ik heb de dood ook niet zien komen, ik heb niets gevoeld. Om de doodeenvoudige reden dat je onder invloed van heroïne niets ziet of voelt, dat er niets meer tot je doordringt als je high bent. Je bent niet eens in staat in geval van nood een ander te helpen, of zelfs maar de hulp van anderen in te roepen, en dat is toch wel het minste wat je kunt doen voor iemand van wie je houdt.

En dus besluit ik te stoppen met spuiten. Zomaar. Van de ene dag op de andere. Ter nagedachtenis aan hem, en misschien ook om mezelf te straffen, ik weet het niet. Geen gram heroïne meer. Met joints en drank is het draaglijk. Een tijdje. Een maand houd ik het vol, en nog een maand, maar die dorre liefdeloosheid, dat totaal gebrek aan menselijke warmte, die kille puberale leegte is er nog steeds, van binnen en van buiten. Een puber moet opbloeien, moet alle lessen uit zijn kinderjaren in de praktijk brengen (vooropgesteld dat het waardevolle lessen waren natuurlijk), een puber moet zichzelf ontdekken, als een plant die groeit en bloeit, moet voor zichzelf opkomen en zeggen: 'Ik ben geen orchidee, ik ben geen lelie, margriet of paardenbloem. Ik ben niet wat u graag wilt dat ik ben. U wilt me geel, ik ben rood! U wilt me als rode Baccaratroos, of als madelief? Heb ik daar zelf nog iets over te zeggen?' Maar wat krijg ik te horen? 'Jij kunt maar beter orchidee worden, anders eindig je nog als klaproos!'

Nou en? Als ik nu eens zin heb een klaproos te worden, of een gardenia?

En als wiskunde nu eens mijn neus uit komt? En 'eerst je eindexamen halen' ook? Biedt een diploma garantie op geluk? En als ik nog liever doodga dan alle hokjes op het formulier aan te kruisen?

Na twee maanden zonder een gram heroïne, bega ik de stommiteit naar een film van Bertolucci te gaan, *La Luna*. Het enige beeld dat me van die film is bijgebleven, is dat van het jongetje met die kijvende vader en moeder, dat al zijn problemen in z'n uppie probeert op te lossen en wanhopig van de ene naar de andere spuit leeft. Tot hij sterft, dan is hij eindelijk bevrijd en hoeft niet meer te vechten. Ik heb er genoeg van. Ik sterf nog liever dan niet de gedroomde klaproos te worden. Na de film ren ik naar een dealer, ook al heb ik geen cent op zak.

'Schiet het even voor, ik kom zo terug, dan betaal ik!'

'Dat zeggen ze allemaal.'

Het is niet makkelijk heroïne op de pof te krijgen. Dat lukt bijna nooit, maar ik blijf aandringen en krijg uiteindelijk mijn zin.

'Luister, maak je geen zorgen, geef me vast wat, dan kom ik meteen terug met geld!'

Ik weet niet meer hoe ik het voor elkaar heb gekregen, maar voor ik het wist, moest ik weer op zoek naar geld om aan heroïne te komen, en heroïne spuiten om die zoektocht naar geld vol te kunnen houden. Ik heb hem dat geld gegeven, maar ik weet niet meer hoe ik eraan ben gekomen. Ik zal wel een kraak hebben gezet, of ergens een tasje hebben geroofd.

Ik had een enkeltje naar de drugshel. Vier jaar van mijn jonge leven heb ik in die hel doorgebracht, een periode waarin ik de dood meermaals recht in de ogen heb gekeken, aanvankelijk om te kunnen overleven, maar uiteindelijk om te herleven.

Hoe leg je dat uit aan een ander? Aan iemand die in de puberteit de messteken van het leven bespaard zijn gebleven? Door open kaart te spelen. Als de waarheid een nuttig doel dient, kan en moet die worden verteld.

Ik hecht aan de waarheid omdat ik er zo lang naar op zoek ben geweest, en tegenwoordig verlies ik die geen moment meer uit het oog.

2

Ik moet twee zijn. Misschien een paar maanden jonger, maar zeker niet ouder.

Twee gestaltes in de schaduw van een vertrek. Een vreemd gevoel, maar in ieder geval de zekerheid dat mijn vader daar niet met mijn moeder staat, maar met Paquita, mijn Spaanse nichtje, ons aangenomen oudere zusje.

Ze zeggen vaak dat ik op haar lijk, misschien iets te vaak. Zou zij mijn échte moeder zijn? Jaren verkeer ik in die waan. Een verkeerd beeld dat niemand bijstelt. Aan de andere kant heb ik nooit de moeite genomen ernaar te vragen. Toen niet. Als mijn ouders een paar jaar later officieel uit elkaar gaan, weet ik het niet meer. Ik word verteerd door woede, zeker als duidelijk wordt dat de scheiding definitief is. Ik kan dan ook niet helder denken als moeder me de vraag voorlegt: 'Als je moest kiezen, ging je dan met je vader mee, of bleef je bij je moeder en zusje wonen?'

Ik kan onmogelijk een keuze maken. Eigenlijk weet ik ook niet meer of mijn moeder me werkelijk voor die keuze heeft gesteld. Als ze het heeft gedaan, heeft ze het gedaan omdat ik niet háár dochter ben, maar die van Paquita. Ik lijk als twee druppels water op haar. Ik ben een druppel die niets heeft te zoeken in de kom waarin mijn moeder, mijn oudere zus en mijn oma van vaderszijde als goudvissen kringetjes trekken rond mijn vader. Een hechte kliek, waar ik me buitengesloten voel en die ik tegen elke prijs wil ontvluchten.

De eerste keer dat ik eraan weet te ontsnappen is wanneer ik ze vertel dat ik in mijn eentje naar school wil lopen, dat ik niet meer wil dat ze me brengen. Later zorg ik dat ik ook in de weekeinden van huis ben door bij de padvinders te gaan.

Ik ben tien, het is woensdag, een middagje voorwaardelijke vrijheid bij de padvinders. Ik leef naar de weekeinden toe, dan kan ik met de groep op stap, op kamp, en die vreselijke zondagen in huiselijke kring ontvluchten. Als ze me op een gegeven moment toestaan in de weekeinden weg te gaan, leef ik op. Dat zijn de momenten dat ik me voor het eerst vrij voel: zondagochtenden onder het tentdoek, middagen na school gevuld met wedstrijdjes rolschaatsen tegen mezelf.

1973. Er zijn nog meisjes- en jongensscholen. Ik zit op een school waar ze voor het eerst experimenteren met gemengde klassen. Ze plaatsen een Spaans meisje en mij in een klas met verder alleen jongens, waardoor ik word gedwongen me typisch mannelijke sociale codes en gedragsregels eigen te maken. Ik bouw een nieuw bestaan op als een soort leidersfiguur. Omdat de Spaanse en ik de enige meisjes zijn, krijgen we allebei ons eigen gevolg. Ik leer te vechten als een jongen.

Op een schoolplein moet je voor jezelf kunnen opkomen, zeker als meisje op een schoolplein vol jongens. We vechten om drie keer niks, maar met een verbetenheid de betere wijken onwaardig. Ik ben er echt goed in en deel hier en daar rake vuistslagen en kopstoten uit. Zoals bijvoorbeeld die dag dat een jongen die niet bij mijn clubje hoort me een smerige streek levert en me uitscheldt alsof ik een meisje ben. Het zat er al een tijdje aan te komen met die jongen, maar als het zover is en hij me uitdaagt, ga ik er vol in. Hij is veel groter dan ik en veel sterker, maar verkijkt zich op mijn techniek. Ik bijt me zo vast in het gevecht dat hij uiteindelijk afdruipt.

Niemand komt tussenbeide. Ik moet flink incasseren, maar weet hem toch op de knieën te dwingen. Ik ben trots op mezelf en de groep krijgt respect voor me. Bovendien doen de klappen niet echt zeer; kennelijk heb ik een hoge pijndrempel. Na die ene keer zoeken ze geen ruzie meer met me, ze weten dat als ze me zoeken, ze me ook vinden. Ik hoef me nooit meer te bewijzen, en die reputatie achtervolgt me tot de roodgloeiende bodem van de hel.

Ik denk dat ik dat jaar een latente agressie uit, die ik thuis nooit zou tonen. Thuis blijft die gewelddadigheid onder de oppervlakte en blijf ik toeschouwer van het onbehagen van anderen. Mijn vader is een driftkop en mijn moeder wordt volledig in beslag genomen door mijn zus, met wie het niet goed gaat en die zich overduidelijk steeds meer voor de anderen afsluit. Ik onttrek me aan het huiselijke steekspel en maak me zo klein mogelijk.

Wat ik het ergste vind, is dat ik op het schoolplein mijn mannetje sta, dat ik daar voor mezelf opkom, maar dat ik mezelf thuis volledig wegcijfer en elk conflict uit de weg ga. Thuis heeft niemand sinds mijn prille jeugd ooit de behoefte gevoeld me wat dan ook te verbieden. Als iemand zei 'dat mag niet' was het voor mij ook meteen afgelopen. Ik was een braaf kind, bescheiden, wilde vooral geen deining veroorzaken. Ze vertelden me wat ik moest doen en dat deed ik dan. Dit geheel in tegenstelling tot mijn oudere zus, die na elk 'nee' alleen maar koppiger werd.

In het begin ben ik een voorbeeldige leerling. Als ik naar de vierde klas ga, krijg ik een onderwijzeres die de naam heeft een kreng te zijn, maar die een oprechte liefde voor de kinderen blijkt te koesteren en ze echt iets probeert bij te brengen. 'Hélène, mijn geduld raakt op. Je kunt het wel, maar je doet je best niet. Ik ga je maar eens onder mijn hoede nemen,' voegt ze me al vroeg in het schooljaar toe.

En inderdaad ben ik binnen twee maanden eerste of tweede van de klas, een positie die ik nooit heb nagestreefd. Thuis dwong niemand me mijn huiswerk te maken of lessen te repeteren, maar op school was er ineens iemand me aan het werk zette: 'Zeg je les eens op', 'Laat me je huiswerk eens zien', 'Wat begrijp je niet?'

Ik ben erg aan haar gehecht. Ze straalt geen kille, onverschillige autoriteit uit, maar een welwillend soort gezag. In de twee jaar dat ik les van haar heb gehad, heeft ze me leren lezen, schrijven en rekenen.

Dan ga ik naar de middelbare school. De sprong in het diepe.

Mijn kindermeisje, mijn baken in onze viskom, de vrouw die de rol van pleegmoeder op zich neemt en voor mijn eten zorgt, gaat bij ons weg. Uitgerekend als ik in de laatste klas van de lagere school zit, vlak voor ik ophoud een klein meisje te zijn. Ik mis haar vastigheid in huis. De eerste klas van de middelbare school hoort een sprong uit het ouderlijk aquarium te zijn. Ik leef een ander leven, in een andere wereld, maar in de tweede gaat het mis. Ik ga niet over, dwing mezelf het jaar over te doen. Ik ben niet gewoon slecht, maar vreselijk slecht in wiskunde en Duits, en probeer in de tweede opnieuw mijn hoofd boven water te houden.

Ik ben een exotische vis, opgesloten achter glas, die droomt van verre oceanen, koraalriffen en vrijheid in alle kleuren van de regenboog. Verdriet is kleurloos. Mijn moeder draagt haar verdriet met waardigheid, onderworpen aan de wetten van haar geslacht, en werkt consciëntieus samen met mijn vader in 'de zaak'. Een scheiding is onmogelijk, want dat zou betekenen dat ze opnieuw zou moeten beginnen, zonder enige vorm van zekerheid voor haar kinderen. Er zit dus niets anders op dan door te modderen binnen de glazen wand van de kom.

Mijn vader komt en gaat wanneer het hem uitkomt. Zijn hart is ergens anders, buiten de kom, maar van ons verwacht hij onverminderd dat we van hem houden. Hij weigert de deur definitief in het slot te gooien. Hij wil door iedereen aardig gevonden worden, zowel door de mensen die hij in de steek laat, als door degene die hij sinds kort in zijn hart heeft gesloten.

Het water in de kom vertroebelt. Mijn moeder hult zich in gelaten stilzwijgen. Mijn oma veroordeelt haar eigen zoon niet. Mijn zus verwerkt haar ongeluk en verdriet in vreetbuien. En ik word alcoholiste, en vind de liefde.

Ik wacht niet tot mijn lichaam er ook naar verlangt, vraag me niet af wat ik ervan verwacht en waag zogezegd de sprong. Misschien wel omdat mijn vriendinnen er voortdurend over opscheppen: 'Ik heb het al gedaan, en jij? Heb jij het nog niet gedaan?' Misschien ook omdat mijn vader zonder zich zorgen te maken over de mogelijke gevolgen met grote stelligheid de volgende onsterfelijke woorden spreekt: 'Meisjes in het westen zijn geremd door een bene- pen, burgerlijke opvoeding. Maar elders op de wereld be- drijven ze op hun elfde al de liefde. En dat is ook niet meer dan normaal!'

Ik ben al aan de late kant, denk ik bij mezelf...

Nu mijn kindermeisje de deur uit is, staat de meidenka- mer leeg. Na een tijdje vraag ik of ik er mijn intrek in kan ne- men, er helemaal mijn domein van mag maken. Ik breng er het grootste deel van mijn tijd door, samen met mijn beste vriendin, haar broer – mijn eerste grote liefde – en mijn zus. Mijn vriendin en mijn zus vermaken zich onderling, terwijl mijn vriendje en ik voorzichtig in de fase van kussen en stre- len belanden. Na een tijdje hebben de dames er genoeg van de lamp op te houden terwijl wij ons vermeien en laten ze ons alleen. Hij is vijftien of zestien, ik dertien.

Het gebeurt op een late namiddag, als het buiten al don- ker wordt. Ik wist nog van niets en had het tot dan toe bij onschuldig flirten gelaten, als hij laat merken meer te wil- len.

Later breng ik om iets aan mijn Duits te doen een maand in Duitsland door. Mijn eerste Duitser, zijn naam is me ont- schoten, is een stuk ouder dan ik, ergens in de twintig. Ik ben natuurlijk nog erg jong, maar lijk door mijn lange en slanke gestalte zeker een jaar of zestien, zeventien. Bij hem voel ik geen enkele schroom meer.

De eerste twee of drie dagen die ik bij het Duitse gezin

doorbreng, huil ik aan een stuk door. Ik begrijp niets van wat er om me heen gebeurt en constateer met verbijstering dat mensen op een volstrekt normale manier met elkaar communiceren en blij kunnen zijn me te zien. Ik voel me ontheemd door het schrille contrast met het *no man's land* waar mijn wortels liggen. Ik kom bij onbekenden terecht en ze zijn allerhartelijkst tegen me. De kinderen hebben plezier, gaan uit. Een maand lang ongeremd innemen, ik weet van geen ophouden. Er is altijd wel ergens een borrel, een bierfeest of een party waar je de hele nacht door kunt dansen.

In Duitsland heb ik dus sjekkies leren draaien. En daar ben ik ook voor het eerst echt stomdronken geweest, het begin van mijn alcoholverslaving. Gesterkt door die dubbele ervaring keer ik terug naar huis. Ik heb voldoende zelfvertrouwen om de overstap van flirt naar daad te maken. Niet dat ik er echt naar verlang, ik wil vooral dat ze van me houden, maar als hij er op zijn beurt met zoveel woorden naar vraagt, denk ik: Als ik wil dat hij van me blijft houden, moet ik zeggen dat het uit liefde is.

Het is een automatisme, en ik denk: Dat was het dan, meer is het niet. En dan te bedenken hoe mensen hier over opgeven…

Maar ik heb eindelijk iemand die me aanhaalt, die om me geeft. Ik herinner me alleen de tederheid nog, het gevoel alleen te bestaan voor mijn geliefde. Als mijn moeder voelt dat het vriendje een serieuze liefde begint te worden, doet ze heldhaftige pogingen 'het' met me te bespreken, zij het dan met een zekere schroom: 'Hélène, bij wijze van voorzorgsmaatregel, als het ooit zover komt dat je, eh... moet je er misschien om denken dat eh...'

Ik denk ook dat mijn zus haar heeft verteld dat er in de voormalige meidenkamer 'iets' gebeurde. En dus neemt mijn moeder me mee naar de huisarts. Ik krijg de pil, maar dan mag ik niet roken of drinken. En ik rook en drink steeds meer. Ik gedraag me als een beest, ken geen remmingen meer, stoor me aan niemand, voel me bevrijd van de plicht altijd maar onberispelijk, gewaardeerd, beminnelijk – in de zin van beminnenswaardig – te zijn.

Tijdens de zomer volgt de pijnlijke breuk met mijn eerste grote liefde, eigenlijk om een misverstand. Ik huil tranen met tuiten. Mijn beste vriendin, al vanaf het begin van de middelbare school, begrijpt me niet en weigert mijn kant te kiezen. Ik voel me eenzaam en verdrietig, en dat verdriet blijft me achtervolgen.

Ik zwelg in de herinnering aan de kleren die ik met die eerste grote liefde associeer: een grijs met rood jack waar hij dol op was, een afgedragen geruit overhemd, hét overhemd, waar ik dus nooit afstand van zal doen, en dé spijkerbroek. Dat overhemd markeert voor mij de overgang van meisje naar jonge vrouw. Mijn moeder ziet alleen dat het tot op de draad is versleten en gooit het overhemd, en daarmee het

symbool waaraan ik me vastklamp, tot mijn grote spijt weg.
En ik laat mijn haar knippen, te kort. Ik vind mezelf niet
aantrekkelijk meer, of zelfs maar innemend. Sterker nog, ik
ben het summum van lelijkheid. Ik heb er wekenlang bittere tranen om vergoten. Het had een afscheid van mijn kin-
dercoupe moeten worden en een nieuw begin met een kap-
sel passend bij mijn nieuwe status van jonge vrouw, maar
dat is mislukt, zo hopeloos mislukt dat de bakkersvrouw me
vraagt: 'En, jongeman? Wat zal het zijn?'

Als ik naar de derde ga, ben ik een niet meer dan middelmatige leerling, met een minder dan middelmatige belangstelling voor school, maar ik zie er nog alleszins presentabel uit,
al probeer ik als rechtgeaard muurbloempje zo min mogelijk de aandacht op me te vestigen.

Ik ben een jongensachtig meisje, dus probeer ik voortdurend manieren te vinden om te overleven. Ik weet nog dat ik
school als een loden last ervoer dat jaar. Het drong tot me
door dat ik in mijn pogingen me aan de dagelijkse werkelijkheid aan te passen jammerlijk had gefaald.

Alles is verloren.

Al voor de zomervakantie daagt het besef dat ik niet begrijp waarom de relatie tussen mijn ouders steeds verder af-
brokkelt en de sfeer thuis verslechtert, waardoor ik me daar
tot niemand kan wenden en ik me nergens veilig voel. Maar
voor het eerst lukt het me niet een uitweg te vinden. Ik voel

me machteloos. Teleurstelling in de liefde, totale leegte, geen enkele uitweg, geen idee hoe het verder moet en niemand die begrip voor me kan opbrengen of me een sprankje hoop kan schenken. Die machteloosheid en dat gebrek aan hoop zijn dodelijk.

In die geestesgesteldheid ga ik met moeder en zus op vakantie. Ik bijt op mijn tanden, koester mijn boze blikken, maar probeer tegelijkertijd mijn ware gevoelens over de eerste vakantie zonder mijn vader niet te tonen. Dit keer zie ik geen licht aan het eind van de tunnel en heb ik niet meer de jeugdige energie en veerkracht een uitweg te vinden. Ik heb niet meer de kracht flexibel te zijn. Mijn eerste stappen op het hellend vlak. En ik ben nog niet eens veertien.

Als ik terug ben van vakantie, ontmoet ik de jongens van de motorclub. Met een van hen trek ik ongeveer een maand lang op. Patrick is smoorverliefd. Hij is groot, blond en knap, een soort Johnny Halliday, maar dan een van een jaar of twintig, en hij heeft een schitterende motor. Hij plaatst me op een voetstuk en ik begrijp niet waarom. We toeren met de motor en hebben de tijd van ons leven. Twee van zijn motorvrienden, Philippe en diens broer Jean-Louis, werken bij hun ouders in de zaak, een delicatessenwinkel. Met die jongens ga ik regelmatig naar de disco, maar we gaan ook uit eten. Ik voel me een echte vrouw en ben dolblij met alle aandacht, en dat is alles wat ik wil. Ik weet niet of ik echt verliefd ben op Patrick, maar ga toch achterop de motor met hem een weekeindje naar Normandië, met toestemming van mijn ouders. Ze weten dat ik al met jongens naar bed ben geweest en dat ze me beter mijn vleugels kunnen laten uitslaan, vooral ook omdat ik me thuis niet op mijn gemak voel. Maar het weekeind brengt niet wat ik ervan verwacht en bij thuiskomst maak ik het uit met Patrick, om mijn amoureuze pijlen op zijn vriend Philippe te richten.

In kroegen en nachtclubs ga ik me te buiten aan whisky, puur, aanvankelijk twee, drie, vier glazen, maar uiteindelijk een glas of tien tot vijftien. We gaan drie keer per week uit, op dinsdagavond, omdat ik op woensdag geen les heb, vrijdagavond en zaterdagavond. Op zaterdag slaap ik dan bij een vriendin, waar de jongens zich bij ons voegen, Philippe met een paar flessen dure whisky.

Mijn lever krijgt het zwaar te verduren. Ik drink tot ik er ziek van ben en moet kotsen, maar ga dan vrolijk weer verder. Al snel ga ik de andere avonden van de week ook de hort op, ook als ik de volgende dag naar school moet. Ik gun mezelf nauwelijks de tijd nuchter te worden. Als ik uit school thuiskom, doe ik me te goed aan de drankvoorraad van mijn ouders, die ik in een kast heb ontdekt. Elk half uur een glas ongeveer, tot ik die staat van opgeruimde, ongedwongen verdoving heb bereikt waarin ik de peilloze leegte niet meer voel.

Ik vraag me af waar mijn ouders zijn in die periode. Ik

heb vage herinneringen aan mijn moeder in huis, maar mijn vader is al weg, dat staat vast. Ook mijn zus is er in die tijd niet, waarschijnlijk een van haar vermageringskuren. De kust is veilig. Ik drink voordat mijn oma 's avonds naar haar favoriete serie komt kijken. Dronken wacht ik tot ze weer naar huis is – ze woont naast ons – en ik de fles weer kan pakken. Mijn moeder komt laat thuis, maar als ze binnenkomt, ben ik al naar mijn kamer op de overloop vertrokken. In mijn herinnering is er nooit iemand thuis als ik uit school kom, dus ik kan me ongestoord bezatten.

Ik kom thuis omdat ik me ergens moet douchen en omkleden. Eten doe ik eigenlijk nauwelijks, ik drink alleen nog maar. Elk gevoel, elke reactie smoor ik in alcohol. Het is niets anders dan een gevoel van totale onmacht en de plicht in leven te blijven om de anderen geen verdriet te doen.

Dat houd ik zes maanden vol.

Mijn ouders liggen in scheiding en er is niemand meer thuis. Ik ga 's ochtends met een kater naar school en ben niet in staat de lessen te volgen. Ik vermoed dat mijn zus in de gaten heeft dat ik afglijd, maar zij heeft haar eigen problemen. Mijn vader trekt bij zijn nieuwe levenspartner in en mijn moeder denkt dat ik met een stel vriendinnen op pad ben en bij een van hen overnacht. Ze gelooft dat het ook beter voor me is dat ik ontsnap aan de door de scheiding verpeste sfeer in huis.

Al die tijd slijt ik mijn nachten in Parijse kroegen en disco's, waar ik met twee of drie whisky's begin voor ik zelfs maar aan dansen denk. Mijn vriend maakt zich wel zorgen, maar hij is de enige.

'Het is niet erg dat je wat drinkt als je uitgaat, maar besef je wel dat je veel meer drinkt dan wij? Wij drinken nog niet een kwart van wat jij in een avond wegwerkt!'

'Ach, het valt best mee…'

Ik ben niet ziek, behalve als ik hem vraag de auto langs de kant van de *périférique* te zetten, zodat ik mijn ingewanden eruit kan kotsen. Ik voel niks anders meer dan hem, zijn aanwezigheid, zijn liefde. Ik ben stomverbaasd dat iemand belangstelling voor me heeft, met me uitgaat, me vraagt of ik het koud heb, of ik honger heb, of dorst. Op dat moment is dat in mijn ogen het enige dat telt. En alles gaat ook zo makkelijk! Ik lijk achttien en niemand in de disco waar ons groepje vaste klant is vraagt zich af of ik wel meerderjarig ben. Ik heb zelfs geen geld nodig.

Philippe maakt zich zorgen. Hij weet drommels goed dat niets of niemand me kan tegenhouden. Ik heb geen overlevingsdrang en geen greintje zelfrespect. Hij heeft me opgepakt als een jong vogeltje dat uit het nest is gevallen. Ik geloof dat hij echt van me houdt, maar het feit dat hij me van de drank af wil hebben, begint me op mijn zenuwen te werken. Misschien vindt hij het niet prettig iedere avond een stomdronken vriendin op sleeptouw te moeten nemen. Hij voelt het als zijn plicht te proberen me tegen te houden, maar ik stuur hem regelmatig met een kluitje in het riet. Vriendelijk maar gedecideerd.

'Laat me toch, wat is het probleem? Iedereen drinkt. Het zijn geen drugs!'

Philippe en zijn vrienden nemen grote risico's, want ze rijden als gekken met hun zware motoren. Elke vrijdagavond verzamelen ze op de Place de la Bastille om vervolgens naar Rungis te gaan, ten zuiden van Parijs, waar ze met een flink stuk in hun kraag wedstrijdjes rijden op het terrein van de markt. En de politie schittert door afwezigheid.

Een van onze vrienden heeft zich op zo'n avond in de kreukels gereden. Hij raakte zwaargewond. Hij kwam niet in een rolstoel terecht, maar veel heeft het niet gescheeld. Ik had die avond bang moeten zijn, maar niets kon me nog stoppen. Philippe kan een gezin stichten, een nestje bouwen. En dat vind ik mooi, maar van die gedachte krijg ik op mijn beurt destructieve neigingen, want die mogelijkheid van een gezinsleven legt mijn eigen gebrek aan structuur pijnlijk bloot. Ik breek met Philippe, in de wetenschap dat ik een hechte vriendschap kapotmaak.

Hij kan niet verhinderen dat ik steeds dieper wegzak. Hij begrijpt er niets van.

Hoe moet ik hem aan het verstand brengen dat ik, als ik kotsziek van de alcohol thuiskom, niets dan leegte vind, en dat die leegte des te ondraaglijker is als ik aan zijn familie denk, aan zijn ouders en zijn broer, waar ik samen met hem veel tijd doorbreng en waar ik me 'thuis' voel. Maar ik hoor daar niet thuis, en ik ben nog te jong om zomaar te besluiten bij hem in te trekken. Ik ben te klein om groot te zijn! En ook al is alles verloren en voel ik me omringd door leegte, ik beschouw het als een dure plicht me in te zetten voor wat er nog over is. Ik mag mijn moeder niet onnodig verdriet doen, een ingewikkelde situatie niet nodeloos compliceren. Ik veroordeel niemand, mijn vader heeft het recht liefde buiten de deur te zoeken, mijn moeder mag ervoor kiezen het gelaten te ondergaan. Ik ben degene die het spoor bijster raakt. Het is míjn probleem.

Ik ontdoe me van Philippe zoals je een pleister verwijdert, snel en pijnlijk. Op een avond verdwijn ik onverwachts stilletjes uit zijn leven. Hij kan me alleen nog per telefoon bereiken.

'Ik wil niet meer, ik wil niet meer.'

'Je kunt toch op zijn minst de moeite nemen me dat recht in mijn gezicht te zeggen.'

'Oké, ik kom eraan, maar beneden, niet bij jullie boven.'

Ik haast me om hem niet onnodig verdriet te doen en ren erheen.

'Dat is het, en verder ben ik je geen verklaring schuldig.'

'Maar waarom? Heb je een ander?'

'Nee. Ik kan het niet uitleggen, het is nu eenmaal zo.'

Met die woorden gooi ik de deur voor zijn neus dicht en

neem de benen. Het loopt tegen de avond en het is herfst. Kort daarvoor had ik nog in een alcoholcoma gelegen. Op een zaterdagavond bij een vriendin, ik was nog nauwelijks bijgekomen van mijn uitsputting de avond ervoor, had ik me in het voorbijlopen meester gemaakt van de whisky die Philippe voor die avond had meegenomen. In de tijd dat hij zijn jas uitdeed en de anderen begroette, had ik de fles al voor driekwart leeggedronken. Met de fles aan de mond, gulzig, zoals je water drinkt na een dag zonder drinken.

Ik had dorst, gewoon dorst. Ik had de helft van de fles in één teug geleegd, een of twee minuten gepauzeerd om op adem te komen en vervolgens nog eens een flinke kwart verzwolgen. Ik had nog niets gegeten en was, zoals gezegd, nog brak van mijn vorige slemppartij. Ik weet nog hoe de alcohol me naar het hoofd steeg, eerst vrij krachtig, maar dan ineens heftig. Toen ik opstond om me bij de anderen te voegen, kon ik nauwelijks overeind blijven. Ik begon vervaarlijk te wankelen en zocht houvast aan de muur. Ik weet niet meer wat ik heb gezegd of gevraagd, maar mijn vriendin riep: 'Wacht even, vijf minuutjes!'

'Ik kots van je…'

'Maar Hélène, wat ben jíj aan het doen?'

'Zak in de stront,' schijn ik te hebben gezegd, of woorden van gelijke strekking.

Van wat er daarna is gebeurd, is me niets bijgebleven, behalve dat ene beeld waarin ik mijn vriendin vastgrijp om haar op haar gezicht te timmeren. Het is een grote mist, maar die uithaal kan ik me nog herinneren. Daarna niets meer. Toen ik weer bij kennis kwam, lag ik in het ziekenhuis. Philippe stond doodsangsten uit. In eerste instantie omdat hij er maar niet in slaagde me bij mijn positieven te brengen, daarna om de mogelijke gevolgen. Hij moest een ambulance bellen; ik was nog minderjarig en de ouders van mijn vriendin werden op de hoogte gesteld. Ik had een schandaal veroorzaakt, dingen kapot gegooid en mocht nooit meer bij haar blijven slapen. Dat was het moment waarop ik besloot te stoppen met drinken – en ik heb daarna nooit meer een druppel whisky weg kunnen krijgen. Ik lag een dag of twee in coma. Ik had maandagochtend naar school gemoeten, maar daar was ik domweg niet toe in staat geweest. Mijn moeder was wel op bezoek geweest.

Ik had al snel een geruststellende verklaring voor haar klaar: 'Ik drink nooit, maar nu dus een keertje wel, en meteen iets te veel, ik heb er geen moment bij stilgestaan. Ik had nog niets gegeten, dat moet het zijn geweest. Eén of twee glaasjes waren het, denk ik, en ik voelde me al niet lekker.'

Ze geloofde me. Ze kon niet geloven dat haar veertienjarige dochter in staat was in het luttele tijdsbestek van vijf minuten in één vloeiende beweging ruim een liter whisky achterover te slaan.

Ze heeft geprobeerd het probleem in haar eentje op te lossen, zonder te beseffen dat ik al te ver heen was – en ik deed er alles aan om te voorkomen dat ze erachter kwam. Ik trok een façade op, regelde alles nauwgezet, zodat niemand in de gaten had dat ik steeds verder wegzakte. Thuis liet ik niets van mijn wanhoop merken, ook niet in antwoorden op vragen die me werden gesteld. Maar dat riep weer een schuldgevoel bij me op, niet omdat ik mezelf liet gaan, maar omdat ik loog, mensen om de tuin leidde en het vertrouwen van mijn moeder beschaamde. Aan de andere kant viel ik haar niet af, maar nam ik haar juist in bescherming. Mijn eigen ondergang afwenden was geen onderwerp van zorg, voorkomen dat mijn moeder zich er ongerust over maakte wel.

Ik zonk steeds dieper weg, dieper en dieper, en deed mijn uiterste best toch mijn hoofd boven water te houden, maar hoe meer ik spartelde, des te dieper ik wegzonk, alsof ik in drijfzand gevangen zat. Ik had geen flauw idee hoe of wie ik om hulp moest vragen.

Niet veel later ontdekte ik joints.

3

Ik ben gestopt met drinken, maar verzin toch steeds meer uitvluchten en smoesjes om te spijbelen. Mijn cijfers hollen achteruit, ik let niet meer op, maar neem genoegen met mijn tegenvallende prestaties. De leraren niet. Ze zijn nog niet vergeten dat ik niet zo lang geleden nog beschonken in de klas zat. Toch wijten ze 'dat' aan de scheiding. Het is zo verleidelijk om op de uiterlijke schijn af te gaan, zowel voor hen als voor mij.

De enige die wat in de gaten heeft, is mijn leraar Frans: 'Wat is er Hélène? Je ziet eruit alsof je elk moment van vermoeidheid in elkaar kunt zakken.'

'Mijn ouders liggen in scheiding, de sfeer is om te snijden thuis.'

Ontwijken en conformeren, altijd en overal, een onverschillige puber die altijd en overal hetzelfde antwoord klaar heeft: 'Het gaat wel, laat me met rust.'

Eigenlijk wil ik niets meer met die scheiding te maken hebben, wil ik er ook met niemand meer over praten. En omdat ik wil dat iedereen van me houdt, weiger ik een probleemgeval te zijn. Mijn vader en moeder zijn in mijn ogen zo kwetsbaar, dat ik het als een heilige plicht beschouw voor mezelf te zorgen.

Ik heb al eens mensen om me heen joints zien roken. Joints zie je overal, bij de ingang van de school, in de kroeg, op elke straathoek. Ik rook al sinds mijn elfde, maar alleen shag. Op school heb ik nieuwe vrienden. Eén ervan draait ze in mijn bijzijn, dus ik heb de hasj al van hand tot hand zien gaan. Een andere, Sab, een nieuw vriendinnetje dat een stuk openhartiger is dan ikzelf, is gezegend met uithuizige ouders. Ze is anders dan de anderen, brutaler, een echte punker met die agressieve kleren en dat opgestoken haar. Zo ver ben ik nog niet. Ze rookt al joints, net als het groepje vrienden waar ze mee optrekt. Ze zit zo te zien lekker in haar vel, is nergens bang voor en spijbelt al tijden onbekommerd. Haar ouders doen alsof er niets aan de hand is en laten haar vrij in haar keuzes. Ze lijkt een vrijgevochten type, zeker naast mij, want ik voel mezelf nog een verlegen puber. En dan is daar op een dag ineens die joint.

Met haar rook ik mijn eerste joint.

De eerste in een zolderkamertje ergens in Parijs. Haar vrienden zijn er ook, en ze roken allemaal. Ik zie geen reden om te weigeren en zeg: 'Vooruit, kom maar op met die joint.'

Ik heb ze al vaker zien roken, maar tot dan toe altijd voorzichtig de boot afgehouden: 'Nee, ik heb geen zin, ik weet wat ervan komt.' Maar deze keer dus niet: 'Ach, waarom ook niet, geef maar door dat ding.'

Ze lachen, trappen lol en vertellen elkaar de grootste onzin. Alle barrières zijn verdwenen. Hun gedrag lijkt in niets op wat ik kende van alcoholmisbruik. Ineens vind ik alcohol smerig. Van joints word je ontspannen en vrolijk, daarom zijn ze ook minder gevaarlijk. De jongen tegenover me rookt al heel lang, heeft ook nooit iets anders geprobeerd, terwijl ik juist terugdeinsde voor softdrugs omdat ik bang was daarmee de kans te vergroten aan de harddrugs te raken en in de illegaliteit terecht te komen. Tot nu toe heb ik mijn stommiteiten aan de goede kant van de wet uitgehaald en heb ik de maatschappelijke orde braaf gerespecteerd.

Rokers zijn er volgens mij minder slecht aan toe dan drinkers. Ze braken niet, maken zich niet belachelijk en vallen anderen niet lastig. Je voelt je de volgende dag ook minder ziek, al met al heel draaglijk. Althans, zo dacht ik er toen over. Mettertijd ben ik daar anders over gaan denken, maar toen nog niet.

Sindsdien ben ik erachter gekomen dat joints energie verslinden en je kwetsbaar maken. Ik besef nu dat je afstompt, dat al je plannen in halfhartigheid verzanden en er uiteindelijk helemaal niets meer uit je handen komt. Als de nevel van die eerste met joints gevulde dagen is opgetrokken, rest de strijd tegen het 'kleine monster' dat ons van binnenuit verteert en dat parasiteert als hij niet op vaste tijden wordt gevoed. Het monster maakt geen onderscheid tussen mensen die alcohol gebruiken, roken, kalmeringsmiddelen slikken, stickies roken of harddrugs nemen. Die destructieve regelmaat verandert ons allemaal in meer of mindere mate in verslaafden. Legaal of niet, soft of hard, die onmisbare dagelijkse inname van onze voorkeursdrug legt een onbedwingbare zwaarmoedigheid in ons bloot, terwijl die drug niet het beoogde, maar juist het tegenovergestelde effect sorteert. Het is een geducht monster, verraderlijker dan we denken, dat kennelijk geen andere 'hulp' kan bieden dan de mogelijkheid onszelf nog verder te vergiftigen. De wil ermee op te houden botst met het 'gezond' verstand en dat duistere deel van onszelf dat een donkere schaduw over alle hoop werpt. Als je weet hoe die val werkt, loop je er minder snel in, maar ik liet me onwetend vergiftigen en in de val lokken.

Het stickie was zo gedemoniseerd dat ik die eerste keer in al mijn naïviteit dacht dat het allemaal wel meeviel, en dat te denken gaf me weer een goed gevoel.

Wat me aan het begin vooral opvalt is dat mensen bereid zijn met elkaar te delen, met elkaar in gesprek te komen, dat je met hasj een minder eenzaam en teruggetrokken bestaan leidt dan met alcohol. Iedereen neemt deel aan het gesprek, je bespreekt je dromen en je wildste fantasieën, deelt je emoties en idealen. Het woord is bevrijd. En dat lijkt op liefde. Sommige woorden en gedragingen zijn niet meer verboden. Je kunt elkaar in de armen nemen, je liefde verklaren, je schrikt niet van de liefkozingen van die ander, je schaamt je niet voor je eigen gevoeligheid, je denkt dat je ontvankelijker bent voor emoties. De joint doorbreekt het keurslijf van rede en opvoeding. Je denkt dat je meer openstaat voor wat zich diep van binnen afspeelt, maar ook van buiten. Als ik tegenwoordig hasjrokers hoor praten, klinkt me dat 'nevelig' in de oren, heel anders dan het 'beneveld' van drinkers. Maar toen, op dat moment, ervoer ik die eindeloze, verbeeldingsvolle gesprekken als uitermate bevrijdend: 'We gaan dit doen, we gaan dat doen, ik ga zus doen, ik ga zo doen…' – maar in werkelijkheid verstrijken er jaren zonder dat je iets gaat doen, de nevelflarden worden alleen maar dikker.

Alsof er een stollingspunt bestaat tussen droom en realiteit, tussen verbeeldingskracht, creativiteit, intuïtie en de onbuigzame, harde werkelijkheid, de mal waar we in moeten, ook al past die ons niet. En dat terwijl je ervan droomt op reis te gaan, andere landen en culturen te ontdekken, uit te vliegen, het huis uit te gaan, je studie eraan te geven, de grauwe middelmaat die ons herhaaldelijk als toekomst wordt voorgespiegeld te ontvluchten: 'Wees nu verstandig en doe eerst je eindexamen, volg je vader op in de zaak, neem een voorbeeld aan je moeder, ga naar de universiteit, zorg dat je je diploma's haalt, anders lijd je honger, ga je dood van de kou en houdt niemand van je.'

Je hebt geen keuze als je veertien of vijftien bent, je kunt niet alleen maar jezelf zijn, anders dan alle anderen, dromen koesteren die werkelijkheid zouden kunnen worden als je er maar de middelen toe had. En dus dromen jonge blowers van elders, het elders van de essentie van het leven, ook al hebben ze er geen idee van wat die essentie inhoudt. Aan de andere kant… In vergelijking met het schrikbeeld dat hun wordt voorgehouden, is het een hele bevrijding.

Ik was veertien en nog wat en had zo mijn eigen ideeën over wat volwassenen de puberteitscrisis noemden. Volgens mij beschik je op die leeftijd nog over alle energie en de passie, creativiteit, verbeeldingskracht en impulsiviteit van je kinderjaren, en als je die niet allemaal gebruikt, als je die creativiteit niet tot uiting laat komen, keert die energie zich bij gebrek aan een uitlaatklep en mogelijkheden tot zelfverwezenlijking tegen je. De joint is dan niets anders dan een strohalm. Eentje die alle energie opslorpt, alle opstandigheid uitvlakt en je in staat stelt alle gedragsregels op te rekken en de hokjesgeest te doorbreken. Je rolt een stickie in plaats van te strijden voor vrijheid en dierenwelzijn, tegen de mijnen of gewoon jezelf, in een of andere sport. Je droomt in plaats van het uit te schreeuwen: 'Ik wil niet in de zaak van mijn vader, ik wil mijn moeders voorbeeld niet volgen, ik wil geen boekhouder worden of verkoopster, ik wil niet worden wat jullie graag willen dat ik word! Ik wil dieren redden! Ik wil muziek maken! Of theater! Ik wil alle muren van de stad volschilderen! Ik wil aan het eind van de wereld wonen, tussen de vogels!'

Talloze jongeren komen in aanraking met softdrugs, noodgedwongen, en sommigen krijgen de juiste middelen aangereikt, als ze het geluk hebben dat hun ouders de tijd nemen hen te helpen hun specifieke talenten te ontplooien, hen op een toekomst voor te bereiden die niet een allegaartje is van wat ze wel en niet daadwerkelijk hebben beleefd. Mijn vader wilde dat wij de zaak overnamen, maar ik wilde voor mensen zorgen. Ik zou een goedlopend bedrijf in handen hebben gekregen met uitstekende commerciële vooruitzichten, maar dat was niet het leven dat mij voor ogen stond, het was niet mijn specifieke talent; ik kon niet al mijn idealen overboord zetten.

Vrijdag 30 september 1977. Ik ben veertienenhalf. Ik broed op een opstel over drugs. Ik heb in een boekhandel een boekje ontdekt met de aansprekende titel *Pourquoi?* (Waarom?). Het vertelt het verhaal van een puber die in de drugs zijn ondergang vindt. Aan het einde wordt hij dood gevonden.*

---

* [Noot van de vertaler] Anouk Bernard, *Pourquoi?* [Seghers, Parijs; 1977]. Het boek is niet in het Nederlands uitgebracht, maar door de schrijfster wel onder dezelfde titel verfilmd [1979].

Ik krijg een dikke onvoldoende, door de talloze spelfouten. Een vier. Hoe dan ook, ik heb het boekje uitgezocht omdat ik wil weten wat zich afspeelt in het hoofd van iemand die zich drogeert. Ik zocht een verklaring voor de eenzaamheid, het gemis aan liefde, het ontbreken van echte, betekenisvolle communicatie in ons gezin, de last van volwassen problemen, al die dingen die pubers zwaar vallen en hen het huis uit drijven om een plek te vinden waar ze in alle vrijheid kunnen vergeten wat ze onmogelijk zelf kunnen oplossen. Zelfs als die vlucht hen de dood in drijft. Mijn conclusie, in de vorm van een soort schreeuw om hulp, het antwoord op het 'waarom' uit de titel, luidt: 'Te veel eenzaamheid en onbegrip. Een beetje liefde was genoeg geweest.'

Ik weet dus vanaf het begin heel goed dat in dope de dood loert. Alles wat volwassenen ons over drugs proberen in te prenten, weet ik. In het stuk beschrijf ik de puberwanhoop, de langzame zelfvernietiging en de fatale afloop nauwgezet, en achteraf denk ik dat er bij iemand, bij de leraar in ieder geval, alarmbellen hadden moeten gaan rinkelen. Ongeveer drie maanden later steek ik mijn eerste joint op. Een jaar later werk ik het onderwerp uit in een nieuw opstel en dit keer is de leraar wel enthousiast en krijg ik een voldoende, een zevenenhalf. 'Uitstekende analyse.'

Toen had ik softdrugs al ingeruild voor harddrugs, maar dat was niemand opgevallen. Ik had beter leren acteren, had een dubbelganger gecreëerd. Thuis speelde ik de rol die van me werd verwacht en droeg ik een masker, op straat was ik een ander.

Ik sta aan het begin van mijn LSD-periode. Dit keer is het niet Sab die me op sleeptouw neemt, ik was er toch wel aan gekomen. Ik heb de anderen niet meer nodig, ik ken de weg inmiddels.

LSD is een ramp. Soms is het echt angstaanjagend. Je voelt hoe het zich in je hersens verspreidt, verder en verder, tot de werkelijkheid volstrekt krankzinnig is geworden. Een LSD-trip is een reis naar onbekende verten. Je weet niet waar je heen gaat en ook niet of je ooit weer terugkomt, en je vindt dat helemaal niet erg. Ik ken mensen die volledig blokkeerden, die hun trip in een psychiatrische kliniek eindigden. Traptreden komen onder je in beweging, standbeelden komen tot leven. De eerste keer dat ik het nam, waarschuwden ze me ervoor: 'Denk erom, het risico bestaat dat je straks denkt dat je een vogel bent, dat je over de balkonrand klimt, wegfladdert en op de stoep te pletter valt.' En ze overdreven niet. Ik zie mezelf nog over die balkonrand turen en denken: Tuurlijk kan ik vliegen, dat moet wel. Zal ik dan maar? Nee, ik heb het niet gedaan, gelukkig niet. Ze hadden me het 'Denk erom, je denkt echt…' en 'Nee, je kunt niet…' zo ingepeperd dat de boodschap ergens in mijn hersens moet staan geëtst.

Maar die beleving, die rotsvaste overtuiging dat je echt, heus kunt vliegen, die is er. Dan kunnen de ervaringen van anderen, natuurwetten en logica het tegendeel bewijzen, je denkt dat je alleen maar je armen hoeft uit te slaan om het luchtruim te kiezen. In die vertekende werkelijkheid, in dat gevoel dat er geen grenzen bestaan, dat niets vastligt, dat fysieke beperkingen vluchtig worden, schuilt het gevaar. De volwassen werkelijkheid, die me anders verstikt en angst inboezemt, verliest haar dreiging. Je hebt het gevoel alsof je een wereld binnengaat die verder niemand kent. Ik herinner me een lichtspel door gekleurde ramen; niets ontgaat me door dat buitengewone prisma. Mijn oog is een buitengewoon krachtige caleidoscoop. Maar ik zie ook angstaanjagende beelden. Reusachtige spinnenwebben, mieren en kakkerlakken, en ineens ben ik ingesloten door aliens. En als de enige vluchtweg dan een sprong uit het raam op de tiende is, dan waag je die sprong. En zelfs als het effect van de trip wegebt, krioelt het nog van de beestjes, ze kruipen overal in. Het is walgelijk. Emoties worden versterkt. Levenloze materie leeft. Je ziet ergens een steen en begint er een goed gesprek mee. Het is een vorm van krankzinnigheid die in principe tijdelijk is, tenzij je in die trip blijft. Je weet dat het eind van de trip in zicht is als je de waarnemingen toeschrijft aan het effect van de drug en je die gewaarwording niet als waarheid in de werkelijkheid kunt opnemen.

Waanzin, mogelijke dood, ik houd nergens rekening mee. Al mijn grenzen zijn al vervaagd. Van het gevaar gaat een grotere verlokking uit dan van de dood zelf. Ik wil de gevangenis van mijn eigen ik uit. De nieuwsgierigheid van jongeren die in het normale leven geen drijfveren hebben. Jongeren zonder houvast. Hoe dieper ik in de drugswereld doordring, des te groter is het avontuur. Het is een zoektocht naar de verborgen schat. In feite misschien niets anders dan dodelijke levenslust. Elke trip ervaar ik als een bevrijdende reis. Aanvankelijk trip ik twee of drie keer per week, maar later een of twee keer per dag. Ik sta in vuur en vlam in die periode, kan geen moment stil blijven zitten, zwerf 's nachts over straat, zonder kou of honger te voelen, staar op metrostations in opperste verwondering naar posters en word door onredelijke angsten bevangen als ik vliegen om een hondendrol zie zwermen. De bus heeft ineens de kop van een nijlpaard, het opgemaakte oudje lijkt al overleden, de onechte blondine met haar donkerblonde uitgroei is een vogelverschrikker, de hak die uitsteekt onder een versleten schoen wordt een rotswand vol scheuren, de roos op de schouders van de man voor me… om te kotsen. Je beleeft alles om je heen met een buitengewone heftigheid, en die intensiteit geeft je een gevoel van tegelijk spookachtige onwerkelijkheid en allesoverheersende angst.

Je kunt twee uur met je hoofd in de wolken zitten, in de

stellige overtuiging dat de wind door je heen waait, maar na de crash rest de kou van het graf en wil je alleen nog maar dood.

Dat ik ineens andere kleuren ga dragen, zou ook tot opgetrokken wenkbrauwen moeten leiden. Voor mijn LSD-periode droeg ik nog beige, hemelsblauw en wit, ingetogen, fatsoenlijke kleuren die nergens aanstoot gaven. Dat was mijn stille periode. 'Vergeet dat ik er ben, ik heb niets te vertellen.' Zelfs in mijn alcoholperiode droeg ik kleuren als lichtgrijs, maar nooit roze of pistachegroen. Ook toen wilde ik onzichtbaar blijven.

Maar de omgang met mensen die zich heel anders kleden én de LSD, brengen een radicale omslag teweeg. Ik draag zwart, rood, ijsvogelblauw, leer en glitters. Ik wil mezelf losweken uit de massa, het verschil aangeven, de spanningen van het moderne bestaan illustreren. Maar die spanningen zijn vooral zichtbaar bij mezelf. Ik draag een overdaad aan oorringen, acht gaatjes in elk oor, drie tot vier centimeter haar op mijn hoofd, hennatatoeages, de hele santenkraam, tot en met de gaspit die ik bij wijze van medaillon om mijn hals draag. Ik heb een sterk verlangen te veranderen wat ik niet kan worden, mezelf teniet te doen en door middel van mijn kleding de aanval op de 'ander' te openen.

De hippietijd is voorbij. Hippies zijn met hun lange haren en hun drammerige odes aan 'love and peace' in onze ogen een bijna verachtelijke soort. We vinden het sukkels, oude sukkels.

Voor mijn ouders zou het een waarschuwing moeten zijn, die plotselinge behoefte, die zowel naar binnen als naar buiten gerichte agressie duidelijk zichtbaar te manifesteren. Muziek is een ander signaal, agressieve muziek, extreem luid, met geschreeuwde teksten over *no future, destroy*...

Een paar jaar eerder had ik de Beatles al ingeruild voor Téléphone, die ik later aan de kant schoof voor de Sex Pistols. Aanstootgevende muziek, maar teksten als *I wanna be me* en *There's no point in asking, you'll get no reply* spraken me erg aan.

Ik heb behoefte aan al dat geweld, dat geschreeuw, die woorden als scheermessen. Op dit moment zijn stoffen, kleuren, boodschappen, klanken belangrijk. Voor volwassenen zou dat een waarschuwing moeten zijn. Het is geen schreeuw om hulp, maar de verschijningsvorm van mijn weigering me te voegen naar het aangeboden maatschappelijk model. En de wil te laten zien waar ik wél bij wil horen.

Puberteitscrisis, problemen met de scheiding... het gaat wel weer over, de volwassene kijkt naar de grote lijn, wacht op een afstandje tot de storm is geluwd en blijft uit de regen.

Als mijn vader voor een van zijn regelmatige bezoekjes sinds hij ons heeft verlaten aanschuift aan tafel en het onderwerp aansnijdt, is dat de eerste indicatie dat mijn ouders weten dat ik hasj rook.

'Het schijnt overal te gebeuren, ik begrijp het niet, want ik heb het nooit gezien. En jij, hebben ze het jou al aangeboden op school?'

'Ja.'

'Hoe ziet het eruit? Wat doet het met je?'

Ik zeg dat het niet super is, dat het vooral niet moet worden overdreven en dat het niet gevaarlijk is.

'Een van mijn collega's zegt dat een stickie roken best een prettig gevoel geeft, alsof je iets hebt gedronken, maar dan minder ongezond, en dat je er een jolige bui van krijgt.'

En dat zegt mijn vader? Ik bevestig het onmiddellijk: 'Ja, dat is het. Alleen omdat het verboden is, is het erger dan alcohol of medicijnen.'

'Hoe ziet dat er nou uit, hasj?'

'Ik zal wel eens een plakje voor je meenemen.'

'Maar hoeveel kost het?'

'Honderd francs per plakje.'

'Laat het maar weten, als je wat hebt gevonden, dan geef ik je honderd francs. Gewoon om een keer te proberen, dan voel ik me tenminste niet meer zo onnozel.'

Mijn vader legt een geruststellende mate van nieuwsgierigheid en ruimdenkendheid aan de dag. Of hij moet me op de proef stellen, maar dat geloof ik niet.

'Toevallig heeft iemand me net een plakje gegeven. Als je

wilt, mag je dat wel proberen, maar ik moet hem wel betalen.'

'Goed.'

Ik heb vier of vijf plakjes, maar dat hoeven de anderen niet te weten. Daar zit ik dan, veertien-en-nog-wat, een zondagmiddag aan tafel met vader, moeder en oma, en ik draai een joint voor mijn vader. Hij wil in ieder geval proeven. Dat heb ik ik liever dan de onzinpreken van volwassenen die het veroordelen zonder te weten waar ze het over hebben. Bovendien heb ik het gevoel dat ik hem kan geruststellen, zoals gewoonlijk.

Machteloos, en om zijn geweten te sussen, stuurt hij me naar een psychotherapeut, omdat hij zelf ook ooit in therapie is geweest. Een reflex, vermoed ik, om me bij een ander mijn hart uit te laten storten. Een gesprek met hem, zonder tussenkomst van een ander, was me liever geweest. Echte communicatie, maskers af, daar verlang ik al naar sinds mijn prille jeugd. 'Vertel me wie je bent, en ik vertel je wie ík ben.' Niet om te oordelen, maar om te begrijpen, om de lucht te klaren, om de stilte van mijn moeder te doorbreken, om het vacuüm van die o zo liberale, maar ook o zo afwezige vader te vullen.

Mijn vader moet hebben vermoed dat ik hasj rookte, wat ik die dag onmiddellijk heb bevestigd, maar dacht waarschijnlijk dat het iets puberaals was, een fase, iets wat vanzelf weer zou overgaan.

Ik weet niet of die joint uiteindelijk de reden is geweest me naar een zielknijper te sturen. Het doet er ook niet toe. De vrouw is niet onvriendelijk, maar tamelijk machteloos tegenover het relaas van mijn ondergang, dat ik haar bij stukjes en beetjes, uitgesmeerd over een tiental sessies opbiecht. Ze probeert me, geheel volgens de regels van de kunst, uit te horen over mijn ouders, de scheiding, maar dat is op dat moment niet echt het probleem. En ik heb niet in de gaten dat ik steeds verder afglijd.

Wanneer ik haar toevertrouw dat ik ook LSD en harddrugs zoals heroïne gebruik, beseft ze dat het snel bergafwaarts met me gaat en seint ze mijn ouders in: 'Iemand anders moet haar zien, iemand die haar beter kan helpen dan ik.' Ze heeft geen ervaring met verslaafden en ik ga niet meer naar haar toe. Bovendien heeft ze mijn vertrouwen beschaamd door mijn ouders te vertellen dat mijn casus 'proporties heeft aangenomen die een zorg vragen die zij niet kan bieden'. Dat vind ik het ergste. Ze heeft ze gewaarschuwd, ongerust gemaakt, terwijl ik juist mijn best doe ze voortdurend gerust te stellen. Dat is mijn 'plicht'.

In de tijd dat ik joints rook, zet ik ook mijn eerste spuit, in gezelschap van een groep vrienden op de Place de la Nation. Er wordt overal in Parijs wel gedeald, maar het bijzondere van Nation is dat er een apotheek zit waar je legaal spuiten kan kopen die normaal gesproken niet voor de verkoop zijn bestemd. Het grote plein, vlak in de buurt van onze scholen, is dus ons vaste ravitailleringspunt. Het is een verzamelpunt voor punks geworden, maar ook van skinheads en Hell's Angels, groepen die vaak met elkaar op de vuist gaan.

We zijn regelmatig getuige van overvallen door jongens van Dorian en Hélène Boucher, scholen in de buurt van Nation. Ze wachten elkaar bij de uitgang op, nemen iemand op de korrel, drijven die in het nauw en schudden hem uit. Wie een jack draagt, is de klos. Leren jassen en cowboylaarzen zijn een uitnodiging om te worden beroofd. Omdat wij er als punks uitzien, hebben skins en Hell's Angels een hekel aan ons.

Vince, een van mijn punkvriendjes, en zijn broer zijn erg agressief. Elke ruzie loopt dan ook altijd uit op een handgemeen, hoe onbenullig de aanleiding soms ook is. De afrekeningen zijn altijd gewelddadig, en dan zijn de meisjes van de groep in gevaar. De jongens weten dat ze ons moeten beschermen om te voorkomen dat ze ons te pakken krijgen, want dan worden we verkracht. Ze trekken dan de aandacht van de anderen, zodat wij een goed heenkomen kunnen zoeken.

Bij een van die confrontaties duiken mijn vriendin Sab en ik na een dolle vlucht door de straten rond het plein onder bij een van onze vrienden. Als Vince en zijn broer zich later bij ons voegen, hebben ze heroïne bij zich; de broer van Vince gebruikt het af en toe, niet regelmatig. We hebben doodsangsten uitgestaan en hunkeren allemaal naar een grote joint om tot bedaren te komen, maar er is niets te roken. We zijn met zijn zessen: Sab en haar vriend Doumé, Vince en ik, zijn broer en Claude, de eigenaar van de kamer.

De jongens hebben benauwde momenten achter de rug. Om ons te beschermen, hebben ze zich in elkaar laten slaan. De broer van mijn vriend zet als eerste een spuit, gevolgd door Sab en Doumé. Ik kijk afwezig toe, mijn gedachten worden nog in beslag genomen door de opwinding over mijn geslaagde ontsnapping aan de skinhead die Vince toeschreeuwde: 'Ik ga haar pakken, dat mokkel van je!' Ik was bang, want ze doen wat ze zeggen.

'Hélène, wil jij ook?'

'Ja, doe maar.'

Als er een joint zou zijn geweest, had ik het daarbij gelaten, maar er is alleen heroïne. Ik zet mijn eerste spuit. Er komt een soort vredigheid over me, watten van binnen, alles is zacht, zoet en gelukzalig. Alle ellende en ergernis glijdt van je af, je verwacht niets meer, van niemand, je wordt volledig op jezelf teruggeworpen. En ik kots alles uit wat nog ergens in mijn ingewanden zit, net als de anderen overigens. Je spuit en een paar minuten later moet je kotsen.

Vanaf dat moment ben ik aan de harddrugs.

De volgende dag zorg ik voor genoeg heroïne om drie keer een spuit te kunnen zetten.

Mijn moeder heeft niets in de gaten, behalve dat het niet goed met me gaat. Ik ben maar een puber. Een puber die er vreselijk uitziet. Als ze me vragen wat er aan de hand is, geef ik een ontwijkend antwoord, wat meestal geruststellend werkt, of ik zeg dat ze moeten oplazeren.

'Je haalt je van alles in je hoofd, je ziet overal problemen...'

Al snel zie ik eruit als de dood van Pierlala. Mijn teint houdt het midden tussen grijs, geel en groen, ik draag gemillimeterd haar, een rijtje ringen in elk oor, en hul me nog steeds in rode kousen of een knalblauwe broek onder een zwartleren jack en boven zwarte gympen of Duitse soldatenkistjes. Mijn gezicht is asgrauw – van vermoeidheid, leg ik dan uit – of steekt bleek af bij de kleur van mijn haren, of is grijs door te veel sigaretten...

Mijn vader schittert door afwezigheid en mijn moeder weet niet wat ze met me aan moet. Ze zoekt wel contact, maar dat is al niet meer mogelijk. Hoe harder ze het probeert, des te meer ik haar ontwijk. Praten doe ik niet meer. Met afhangende schouders en neergeslagen ogen bewijs ik dat ik volledig in mezelf ben gekeerd; ik begrijp er niets meer van en ben bang anderen te kwetsen als ik iets zeg. Ik sluit me af van de buitenwereld om te voorkomen dat ik anderen pijn doe.

Nog niet zo lang geleden praatte ik nog honderduit met mijn kindermeisje, de enige mens met wie ik dat kon. Ik vertelde haar wat ik meemaakte en vroeg haar wat ik niet begreep. En dan ging het niet om onbenulligheden in de trant van 'waarom moet ik sperziebonen eten?' maar om een enorm verlangen naar liefde. Zij was de enige die naar me luisterde. Om geen geluid te maken, om niemand te storen, vertelde ik haar alles, in stilte, ook toen al. Ik vroeg nergens om, stortte in stilte mijn hart uit, een beetje zoals je met God praat. Ik vertelde haar over mijn dromen van een Stille Zuidzee-eiland en het goede leven, over mijn roeping het leed van anderen te verzachten door de geheimen van de natuur te ontsluieren. Zuiver technisch gezien ontbrak het me aan niets, behalve aan individualiteit, menselijk contact en liefde.

Die vind ik tegenwoordig elders, omgeven met geweld en gevaar, in mijn vriendenclub, in het gezamenlijk verzet tegen alles en iedereen, in een bestaan dat niet in het teken staat van de verbetering, maar de vernietiging van de wereld die ons zoveel angst aanjaagt, in de vriendschap die we voor elkaar voelen, in de vredige kalmte na de heftigheid van het spuiten, in de vergetelheid.

Heroïne als oppas voor een punk die op straat leeft.

Mijn zus komt al tijden niet meer de deur uit, ze blijft liever in haar veilige cocon. Ze gaat zelfs niet meer naar school. Oma komt 's avonds na haar werk bij ons langs. Ze kan me niet uitstaan, dat is duidelijk. Er valt aan mij ook niet veel uit te staan, met de manier waarop ik eruitzie en de arrogante agressieve toon die ik tegen haar gebruik. In mijn ogen is ze de vleesgeworden kleinburgerlijkheid, met haar miezerige leventje, haar miezerige baantje en haar miezerige soap elke miezerige avond. Ze draagt een bontjas, en ik vind dat ze zich zou moeten schamen met al die kadavers om haar schouders. Ik slinger haar de gruwelijkste verwensingen naar het hoofd. Ze heeft het zwaar gehad in de oorlog in Hongarije, met de Duitsers, maar ik hoor haar soms uithalen naar immigranten, en dan ontplof ik. Ik ben opgegroeid met 'die buitenlanders', het zijn mijn klasgenoten. Mijn oma en ik kunnen het dus niet meer zo goed met elkaar vinden.

In die tijd loop ik al bij de psych. Zonder al te veel enthousiasme, maar ook niet met tegenzin. Het is niet nieuw, mijn zus is ook al in therapie geweest. Ik heb al snel in de gaten dat hoe meer ik haar vertel, des te hulpelozer ze zich voelt. Toch doe ik mijn best haar zo min mogelijk te verontrusten. Ik vergoelijk de dingen, maar toch voelt ze zich onmachtig iets te doen om te voorkomen dat ik verder in het moeras wegzak. Aanvankelijk vertel ik haar alleen over de drank, en dat het probleem nog niet echt tot me is doorgedrongen. Ze stelt een paar vragen over drugs.

'Ja, ik rook wel eens een stickie, niet vaak, soms.'

In werkelijkheid steek ik de ene met de andere aan.

Ik snijd ongegeneerd nieuwe onderwerpen aan. Ik had aanvankelijk iets anders gehoopt, minder afstand, meer menselijkheid, minder techniek. Ze is aardig, maar niet persoonlijk betrokken – het product van haar opleiding. Ze geeft me niet op mijn kop, en dat had ik misschien toch verwacht. Ze komt erachter dat ik ben veranderd als ik ineens met LSD op de proppen kom. Ik vertel haar dat ik 's nachts ook vaak met onze kleine groep optrek, en dan vraagt ze ernaar. Ik reageer zoals ze van me gewend is: 'Ja, ik heb iets geprobeerd, maar niets bijzonders.' Ze werpt me een licht onderzoekende blik toe die mij laat vrezen dat ze mijn ouders op de hoogte gaat brengen.

Als ik eenmaal ben afgegleden naar heroïne en net doe alsof ik het alleen maar heb geprobeerd, één keertje maar, om te ervaren hoe het is, verpest ze het. Ik doe mijn uiterste best om te voorkomen dat ze er thuis achter komen, maar dan zet ze me de voet dwars. Ik voel me verraden. Het prille vertrouwen dat ik haar had geschonken, beschaamt ze als ze me vertelt mijn ouders te moeten inlichten. Ik ben minderjarig, daarom kan ze niet anders, probeert ze nog, maar ik ervaar het als een straf.

'Gebruik je verstand, Hélène. Ik moet het je ouders vertellen, want je glijdt steeds verder af. Dat kan ik niet voor mijn verantwoording nemen.'

'Als je dat doet, kom ik niet meer terug.'

'Ik kan niet anders.'

Dat was het dan. Uit eigen beweging verbreekt ze een relatie die we in drie maanden hebben opgebouwd. Dit is niet het soort 'hulp' waar ik behoefte aan heb, van iemand die niet achter het bureau vandaan komt, geen maskers aflegt, geen betekenisvol contact legt, maar alleen maar toekijkt, noteert en verslag uitbrengt als ze het kind aan de ouders teruggeeft.

Ik weet niet hoe mijn vader en moeder op het nieuws hebben gereageerd. Ik kan me niet herinneren er ooit met ze over te hebben gesproken. Alles loopt een beetje door elkaar in die periode. Voor zover ik weet, heeft ze alleen gezegd dat mijn probleem 'ernstiger' was dan gedacht, en haar mogelijkheden te boven ging.

Ik geloof dat ik toen allerlei bloedonderzoeken heb ondergaan, omdat ik voortdurend moest braken. De drank had al behoorlijke schade aangericht en de heroïne had mijn toestand verergerd. Ik had ernstige problemen met mijn lever.

Het is de eerste van een lange reeks crises.

Ik ben ernstig ziek, maar dat weerhoudt me er niet van met Sab en Vince achter heroïne aan te zitten en in duistere zaken verstrikt te raken. Al snel draait alles om geld. We moeten een zwendel opzetten, heroïne kopen, die versnijden en doorverkopen voor de winst, LSD dealen... Tot we alles stelen wat los en vast zit om aan geld te komen. Al snel heb ik een bijnaam, de 'spuitekster', omdat ik zo dol ben op alles wat glimt.

In galanteriezaken koop ik band, glitters en lovertjes om armbanden en colliers van te maken. Met die gaspit om mijn nek, mijn stekeltjes en het zwarte leren jack zie ik eruit als een verwilderde dakloze. Niet erg sexy, maar pure nood zaak, want in de strooptocht naar heroïne is de dreiging van verkrachting een trieste, dagelijkse realiteit. Minder vrouwelijk is minder verleidelijk is minder kans op problemen. Maar toch verlang ik er in die gitzwarte wereld naar een spoor van vrouwelijkheid te laten doorschemeren, een glimmertje dat zegt: 'Ik ben een meisje en ik verlang zo naar liefde…'

Als klein meisje was ik dol op bonbons van het merk La Pie qui Chante, al was het maar om die leuke afbeelding van een zingende ekster op de verpakking. In mijn tienerjaren snoep ik er nog steeds van, maar inmiddels zingt de ekster niet meer…

4

Mijn vijftiende verjaardag vier ik in een ziekenhuisbed. Mijn lever lijkt op die van een alcoholist op leeftijd. Niemand begrijpt hoe ik er op mijn leeftijd zo slecht aan toe kan zijn. De artsen hebben al snel door dat ziek zijn niet mijn echte probleem is, maar spuiten, en het feit dat ik geen mogelijkheden zie de weg naar genezing in te slaan. Ze hebben de sporen op mijn arm gezien en me een psychiater gestuurd.

Ik zie haar dichterbij komen, een jonge vrouw, bruin haar, vriendelijke glimlach. Ik zit in bed, rechtop, terneergeslagen, cynisch over het goede dat me eventueel kan overkomen, fatalistisch.

'Tja, ik ben nu eenmaal zo, en waarom zou u willen dat ik anders was? Waarom zou ik op een andere manier naar de dingen kijken? Ik wil er wel vanaf, maar waarom? Met welk doel? Wat is het nut ervan? Onbeduidende compromissen sluiten om zinloos te overleven? Als dat de bedoeling is, laat dan maar zitten.'

Ik neem haar op. Ik heb het gevoel dat ze van de universiteit rechtstreeks naar mijn bed is gelopen, alle kennis nog vers in haar hoofd, in de hoop alles wat ze heeft geleerd op mij toe te kunnen passen. Ik voel haar verslagenheid tegenover die kleine junk die in geen enkel boek of dictaat voorkwam.

Een vrouw met het hart op de juiste plek, meelevend, gekomen om te te helpen, die indruk krijg ik van haar, maar ze slaagt er niet in me in een hokje te stoppen. Ze tutoyeert me. Ze vraagt of ik van de drugs af wil. Ik zeg van wel, maar dat ik niet weet hoe. Discreet probeert ze te achterhalen hoe het zover met me heeft kunnen komen.

'Kan ik je helpen?'

'Ik zou niet weten hoe, maar je mag het wel proberen, graag zelfs. Ik wil er wel vanaf, maar ik zie niet hoe, of waarom.'

Ik vertel haar onomwonden hoe ik erover denk, waardoor ze er niet in slaagt me mee te nemen op de weg die in haar boeken staat uitgestippeld.

Ten eerste durf ik op dat moment niemand in vertrouwen te nemen. Ik wil niet nog eens horen dat het allemaal aan de scheiding ligt. Ik weiger mijn ouders de schuld van mijn problemen in de schoenen te schuiven. Dat is te makkelijk. Ik heb hun doen en laten al zorgvuldig ontleed. Ze doen wat ze kunnen, met hun tekortkomingen. Als ze oog hebben voor hun eigen tekortkomingen, zoals ik voor de mijne, kom ik misschien een stap verder. Dus voorlopig weid ik niet uit over een ongelukkige jeugd.

Eenzaamheid ken ik, stilte ken ik. Geen kik geven. Nooit. Zoals toen ik het ontzettend benauwd had in bed, tot het randje van de verstikkingsdood. Toen ik klein was, had ik bizarre keelontstekingen. Mijn keel zwol zo erg op, dat mijn luchtpijp bijna werd afgesloten en ik nauwelijks lucht kon krijgen. Dat gebeurde regelmatig. In die tijd had ik altijd dezelfde nachtmerrie: er loerde een vreselijk gevaar in mijn kinderkamer, maar ik was achter het behang gekropen, waar een geheim deurtje en een smalle doorgang was, zodat ik me tegen het gevaar kon beschermen. De doorgang was zo smal dat ik bijna stikte als ik erdoor ging. Ik hield mezelf voor dat ik mijn ouders niet ongerust mocht maken en praatte er niet over, waardoor ik 's nachts soms bijna stikte. Als ik bijna helemaal geen lucht meer kon krijgen, gaf mijn moeder me medicijnen zodat ik weer kon ademhalen.

Op het allerlaatste moment riep ik pas om hulp. Om mijn zus niet te wekken, die dan vaak mijn moeder wekte, die dan misschien mijn vader zou storen. In de kamer ernaast wachtte ik rustig af of ze zouden gaan bekvechten en of mijn vader de deur achter zich dicht zou smijten om de nacht elders door te brengen. Bij mijn oudere nicht, die ik voor mijn echte moeder hield.

En ik rende achter hem aan om hem terug te halen: 'Papa, kom terug! Kom terug!' Dat is mijn moeras.

Maar mijn probleem, mijn echte probleem, tastbaar voor het pubermeisje dat ik ben, is het gebrek aan hoop, die dure plicht die ik mezelf heb gesteld om mijn familie te beschermen tegen het verdriet dat ik hun kon aandoen. Ik voel me smerig, omdat ik spuit en er ziek van word. En die jonge vrouw biedt haar hulp aan. Het is voor het eerst dat me zoiets overkomt. Door mijn ervaringen met de eerste zielknijper had ik daar niet op gerekend. De omvang van mijn probleem is nog niet volledig tot me doorgedrongen.

'Ik denk niet dat ik hulp nodig heb. Ik weet waar ik heen ga, en ik weet waarom ik het doe. Ik doe het doodeenvoudig omdat het goed is zo. Gewoon voor de lol, ik heb heus niet de weg naar mijn eigen ondergang ingeslagen.'

'En je ouders weten ervan?'

'Nee, en als ze het wisten, verdween ik uit hun leven.'

'Zijn ze hier? Hoe denken zij erover?'

'Nee, ze hebben genoeg aan hun eigen problemen, die van anderen hoeven ze er niet bij. Het is mijn keuze, we hoeven geen spijkers op laag water te zoeken. Als ik drugs neem, doe ik dat omdat het lekker is, en ik doe het niet elke dag, en ik kan er ook zo weer mee ophouden, het is echt mijn eigen keuze.'

Daar laat ze het bij. Ik geef haar niet de gelegenheid dieper naar de wortels van het kwaad te graven. Nu, achteraf, weet ik dat het een trucje van verslaafden is. Als pijn en verdriet heviger worden, in het stempel dat gezin en maatschappij achterlaten, en aanpassing onmogelijk lijkt, blokkeren ze en weigeren ze terug te keren om de oorzaak van dat leed te kunnen achterhalen. Een innerlijke stem zegt dan: 'Laat me met rust, ik heb al een uitlaatklep gevonden, ook al is die dan dodelijk. Maak mijn leven alsjeblieft niet nog ingewikkelder.' Genoeg is genoeg. Iedereen heeft recht op zijn eigen legale of illegale drug, ook als genot de enige drijfveer is. Je hoeft er niet meteen een vorm van radicale therapie in te zien. Dat houd ik mezelf voor als ze me lastigvallen met hun vragen.

Toch blijf ik op mijn hoede. Ik ben er nog steeds huiverig voor dingen te vertellen die kunnen worden overgebriefd. Het duurt even voor ik accepteer dat deze jonge vrouw aan mijn kant staat. Ik zie mezelf als een verdorven verslaafde en in de ogen van de anderen ben ik nog erger. Een door en door verdorven mens, bereid alles te stelen wat los en vast zit om aan haar gerief te komen. Niet iemand die even het spoor bijster is en openstaat voor behulpzame adviezen. Ik voel meteen dat de therapeute van haar stuk is gebracht door een zekere helderheid van geest en dat ze daarom niet uit het standaardrepertoire kan putten om tot me door te dringen. Maar ze accepteert me als het woeste dier dat ik ben geworden, en respecteert me.

Als ze weg is, dringt het tot me door dat ik te maken heb

met een menselijk wezen met een moederinstinct, welwillend en begripvol, ook al heeft ze nog geen flauw idee hoe ze het moet aanpakken. Voor mij is ze iemand uit de buitenwereld, die niets begreep van mijn binnenwereld. Iemand die een normaal leven heeft geleid en wordt geconfronteerd met dat van een vijftienjarige puber, verslaafd, ziek, ontgoocheld. Maar ik laat haar toe, iets dat ik normaal gesproken nooit doe.

Een volwassene met wie ik kan praten, die geen oordeel velt en me niet in een hokje propt heeft mijn pad gekruist. Ik zie haar niet in de eerste plaats als arts of psychiater, maar als mens. En zij ziet mij als mens, niet als een verslaafde tiener, een junkie, maar als een mens met problemen. Ze heeft al snel ontdekt dat ze me met die houding kan bereiken. Ze is niet achter haar bureau blijven zitten om vanuit die superieure positie een oordeel over me te vellen, en me te verraden, als een leraar die zijn lesje op het bord krijt, maar is zonder zich op te willen dringen met uitgestoken hand op me afgekomen. Iemand die rustig afwacht als een mishandelde, uitgehongerde en verwilderde hond voorzichtig snuffelend om haar heen loopt. Diep van binnen voel ik dat die hond haar onbevreesd van alle kanten kan opnemen, dat de ander voor haar een doel op zich is. Ze denkt niet: zodra hij binnen handbereik is, doe ik hem aan de riem, want dan bijt de hond, die niet de tijd krijgt langzaam te wennen, de uitgestoken hand om zich vervolgens af te sluiten en zich terug te trekken om een eindje verderop langzaam te sterven.

Ze verscheen zonder afspraak aan mijn bed en is zonder me onder druk te hebben gezet weer vertrokken: 'Ik ben er voor je. Je bent altijd welkom, wanneer je maar wilt.'

De volgende dag ben ik nog niet zover. Ik heb net een uiterst pijnlijke ingreep achter de rug, een laparoscopie, waarbij ze lucht en een kijkinstrument in de buikholte inbrengen om mijn lever van dichtbij te kunnen bekijken. Als ik bijkom uit de narcose lig ik met een geperforeerde darm aan een infuus. Ik mag niets eten of drinken. De dienstdoende arts probeert me uit te horen over mijn drugsgebruik. Ik zie hem nog komen, op zijn grote witte klompen. Maar ik wil alleen maar dat hij antwoord geeft op mijn brandendste vragen: 'Wanneer mag ik weer weg? Hoe ben ik eraan toe? Moet ik ergens voor worden behandeld of gaat het vanzelf weer over? Ga ik eraan dood?'

Hij geeft ontwijkende, onduidelijke antwoorden – 'het is ernstig, maar ook weer niet', 'het duurt lang…' – en is vooral geïnteresseerd in het fenomeen 'jonge verslaafde in ziekenhuisbed'. Mijn gezondheidstoestand lijkt hem minder te boeien: 'Hoe werkt dat? En hoe doe je dat met naalden? Hoe kom je aan geld?' Het gevolg is dat ik geïrriteerd raak en nog steeds niet weet hoe ik eraan toe ben.

'Ik heb niets te zeggen.'

Ik vraag naar de jonge vrouw van de dag ervoor. Ik heb uit

onze korte ontmoeting begrepen dat ze er waarschijnlijk voor kan zorgen dat ze ophouden met die stomme vragen. Ze maakt prompt haar opwachting.

'Ik weet niet of u iets voor me kunt doen, maar ik wil dat ze me eerlijk vertellen waar ik aan toe ben. De waarheid! Word ik weer beter? Heb ik nog een kans dit te overleven of ben ik op sterven na dood?'

'Nee, je bent niet op sterven na dood. Helemaal niet! Je kunt er dood aan gaan, maar je hebt het zelf in de hand, dus je gaat nog lang niet dood. De keuze is aan jou. Ik weet niet hoe ik je kan helpen, maar samen vinden we wel een manier. Ik ben er voor je.'

'Ik wil je best de waarheid vertellen, maar op voorwaarde dat het tussen ons tweeën blijft. Mijn ouders mogen het niet te weten komen! Nooit! Ook niet als ik morgen de pijp uit ga!'

'Ik ben er voor jou, niet voor je ouders. Ik geef je mijn erewoord…'

'Pff, erewoord, onder junkies zegt dat niet zoveel…'

'Ik geef je mijn erewoord dat ik niets van wat je me toevertrouwt aan je ouders vertel.'

'Dat je ze niets vertelt is één ding, maar dat je ze op de hoogte houdt van wat ik doe, dat nooit! En als dat ooit toch mocht gebeuren, zie je me nooit terug. Ja, in het mortuarium.'

Ik vertrouw niemand. Ook haar niet, niet zomaar, zonder

garanties, zonder deal. Junkies hebben een deal nodig.

'Hand op mijn hart, het blijft tussen ons tweeën.'

En dus biecht ik haar alles op. Dat ik letterlijk tot mijn oren in de shit zit. Hoeveel en hoe vaak ik heroïne gebruik, de LSD, hoe lang ik het al doe. Ik zwak het nog een beetje af, vertel haar niet hoe vaak ik echt spuit, om haar te testen.

O nee! Wat heb je gedaan? denk ik als ze eenmaal weg is. Wie was die alien van planeet Aarde? Maar tegelijkertijd denk ik dat er een brug tussen ons tweeën kan worden geslagen.

Wat ik van haar vooral prettig vind, is dat ze volledig deel uitmaakt van die andere wereld. Ze is normaal gekleed, heel anders dan de verslavingsdeskundigen die ik op tv heb gezien, die zich als verslaafden vermomden en als verslaafden praatten, onwaarachtig.

Het is een regelrechte openbaring. Ze ziet er misschien uit als mevrouw Doorsnee, maar achter dat masker gaat iemand schuil. Het probleem met zielknijpers is vaak dat ze zo graag in de huid van de redder kruipen. Dat is dankbaar werk, maar het is geen altruïsme meer, niet de onvoorwaardelijke liefde waar die ander zoveel behoefte aan heeft.

De verslaafde voelt zich schuldig omdat hij er niet in is geslaagd aan de verwachtingen van de ander te voldoen. En de ander denkt bij zichzelf: Laat maar zitten, dit gaat me boven de pet. Dat gebeurde de eerste keer. En dan nog eens het verraad eroverheen! Het ligt niet aan de psycholoog, de analist of de psychiater, die 'incompetent' zou zijn, maar aan de verslaafde, die zijn weg niet vindt en in reactie op de teleurstelling van zijn redder een potentieel dodelijk schuldcomplex ontwikkelt. Daar klopt iets niet. Degene die hulp biedt moet houden van wie er schuilgaat in de verslaafde, van wat zuiver, mooi en lief is in dat o zo verdorven, smerige, onbeschaafde en leugenachtige omhulsel. Een verslaafde is een zaadje, diep weggestopt in de grond, dat je met veel liefde moet helpen ontkiemen. Die jonge vrouw in het ziekenhuis is puur, ze kan me niet helpen, maar het voelt toch goed met een menselijk wezen van gedachten te kunnen wisselen.

Ik zie haar elke dag, en dat doet me goed. Ze doet dat zonder opdringerig te zijn. Een beetje in de trant van: 'Koekoek, gaat het?'

'Hmm, best. Sylvie, kom eens.'

'Komt het uit?'

'Ja ja, kom eens.'

We praten over de behandeling en gaandeweg ook over andere dingen. Ze wacht welwillend af, zonder te forceren.

'Trouwens, wat wil je dat ik doe als ik straks uit het ziekenhuis ben? Wat anders dan weer aan de heroïne gaan? Ik zou best anders willen, maar wat moet er veranderen tussen ervoor en erna? Hier is het goed, hier ben ik in een beschermende omgeving en wordt er voor me gezorgd, maar daar niet. Ik zie niet wat er verandert als ik weer buiten ben.'

'Ook als je bent ontslagen, ben ik er nog. We kunnen elkaar ontmoeten, in die beschermde omgeving, dan ben je daar nog steeds.'

'Ik doe het bijna in mijn broek, als ik eraan denk dat ik weer terug moet naar die woestijn.'

'Maak je maar geen zorgen. Natuurlijk keer je weer terug in die woestijn, maar vergeet niet dat ik een oase blijf.'

'Ach, wat houdt me tegen terug te gaan naar de heroïne, ik heb nergens belangstelling meer voor. Ik heb alleen de heroïne nog maar.'

Ze praat met artsen en verpleegkundigen, volgens mij omdat ze me wil beschermen. Ze wil een goede verpleegkundige voor me, eentje die me niet alleen als verslaafde beschouwt.

Als ik na een dag of tien het ziekenhuis verlaat, voel ik me lichamelijk een stuk beter. Ik voel me niet meer zo ziek. Ze drukken me vanzelfsprekend op het hart van de heroïne en de drank af te blijven, en van andere chemische troep. Ik moet mezelf tijd gunnen te herstellen, dat lukt niet in een paar weken. Ik verlaat het ziekenhuis even gedesillusioneerd als ik erin ben gegaan, maar mét de wil te genezen. Ik gedraag me als iemand die zin heeft in het leven. De verboden spelen nog door mijn hoofd: 'doe dit niet', 'doe dat niet'... Maar leven? Met welk doel? Waarom zou ik aan het leven hechten?

Ik ga weer naar school. Ik probeer de draad van mijn leven weer op te pakken, niet verder af te glijden. Maar ik ben niet echt gemotiveerd. Ik zit weer thuis, vind de weg terug naar de kroeg naast mijn school en ontmoet mijn oude vrienden. Er is afstand tussen hen en mij gegroeid en het lukt me niet opnieuw aansluiting met ze te vinden. Ze praten en lachen om onderwerpen die jongeren van hun leeftijd nu eenmaal bezighouden, gaan uit hun dak om dingen die mij geen bal interesseren. De eerste dagen houd ik me nog netjes in en beperk ik me in hun gezelschap tot koffie en joints, met zo nu en dan wat LSD. Maar in diezelfde kroeg zie ik natuurlijk weer alle dealers langskomen. En onvermijdelijk kom ik na de softdrugs weer in contact met heroïne.

In het begin ben ik nog vol goede moed, maar die moed heeft geen solide basis, en al snel verval ik in mijn oude fouten. Ik zie Sylvie nog steeds, maar zij beseft heel goed dat ik weer aan de drugs ben. Toch maakt ze niet de klassieke fout me te veroordelen en me de wijze lessen in herinnering te roepen. Ze weet dat dat toch niet helpt. Ik kom alleen en uit eigen vrije wil. Zij luistert alleen maar naar wat ik te vertellen heb: 'Het probleem als je aan de heroïne bent, is dat mensen je hun eigen doelen voorhouden, doelen die normale mensen zouden nastreven, maar die mij niets zeggen. Ze geven verstandige adviezen; haal mooie cijfers, zorg dat je overgaat, maar wat moet ík daarmee? Wat heb ík eraan? Krijg ik ineens zin in het leven als ik overga? Of als ik mijn diploma haal? En wat moet ik met mijn leven als ik dat papiertje heb? Word ik dan ineens intens gelukkig? Dat ik een goede baan heb? Hoeveel mensen ken ik niet die een goede baan hebben en toch doodongelukkig zijn?'

'Hoe ziet je leven er nu uit? Hoe kom je aan geld?'

'Ik red me wel… Er is altijd wel een manier. Maak je geen zorgen. Ik koop nu groot in en verdien geld met de doorverkoop. Ik sjoemel links en rechts een beetje, niks om je zorgen over te maken, geen zware vergrijpen.' En lachend leg ik uit hoe dat in zijn werk gaat, die zwendelpraktijken van me.

'Ik heb nep-acid verkocht. Ik heb stukjes pasta rood geschilderd om het op LSD te laten lijken. Ik heb er vijf verkocht aan een of andere gast. Een dag of drie, vier later komt hij terug. Ik denk, foute boel, dat wordt matten, dus ik schiet in de stress, maar dan roept hij ineens: "Dat was goed spul, die microdots, niks speed… helemaal geweldig, man!" Hij was zo blij als een kind en kocht er nog meer. En ik heb hem zoveel rode pasta verkocht als hij maar wilde hebben.

Bij de apotheek kun je speciale sigaretten voor astmapatiënten krijgen. Sommige zijn gemaakt van een plant die eruitziet en ruikt als marihuana. Een kenner maak je niks wijs, maar de sukkel om de hoek kun je makkelijk een oor aannaaien, want die koopt met zijn neus! Het is niet gevaarlijk, zolang je het maar niet doet bij iemand die op de hoogte is met dat soort praktijken.'

Op een dag zat het tegen, vertel ik Sylvie, maar ze kan er

niet om lachen. 'Ik zeg tegen de koper: "Je kunt het roken, maar dan haal je er niet het beste uit. Stuff van deze kwaliteit is zeldzaam, erg goed, daarom ruikt het ook zo vreemd. Je kunt er het best thee van trekken. Je doet de stuff erin en brengt het aan de kook. De smaak is daarna vreselijk, maar je doet er zoveel mogelijk suiker bij. En drinken met kleine slokjes, niet alles ineens, want dan knalt je kop uit elkaar." Dagenlang zie ik hem niet en later hoor ik dat hij 's ochtends om vier uur langs het spoor is gevonden. Op het Gare de Lyon. Poedelnaakt. Met paranoïde wanen. Omdat hij moeilijk kon toegeven dat hij verboden middelen had gebruikt, had hij gezegd dat hij was opgeroepen voor dienst, maar afgekeurd wilde worden. Hij had zich helemaal laten meeslepen door zijn eigen spel, had er zelf in geloofd. Ze hebben hem in het ziekenhuis opgenomen, maar hij bleef dat toneelstuk volhouden. En al die tijd nam hij die thee van nepstuff. Hij is erin gebleven. Het is mijn schuld, maar ook die van hem zelf. Uiteindelijk is hij in een psychiatrische inrichting opgenomen. Ik heb nooit meer iets van hem vernomen.

En dan zijn er nog zogenaamde zwarte piramides, tabletjes LSD in de vorm van een piramide. Om ze na te maken, snijd ik potloodpunten op maat. Een zwendel van niks, iedereen doet het.' In mijn ogen is het niet erg. Als de politie me betrapt, verdwijn ik niet achter de tralies omdat ik voor honderd frank per stuk potloodpuntjes heb verkocht.

Mijn retourtjes Amsterdam verzwijg ik in die tijd nog voor Sylvie.

Een ervan is me slecht bekomen, want op een dag werd ik daar zelf slachtoffer van oplichting. Ik was met Sab naar Amsterdam gereisd. Op het moment dat we de deal sloten, werd Sab onder bedreiging met een wapen beroofd door de verkoper. Hij greep het geld zonder de dope te overhandigen. Waar het geld vandaan was gekomen, weet ik niet meer: of het was geld van een ander die het ons duur betaald zou zetten, of het was geld verdiend met de verkoop van roodgeverfde pasta en potloodpunten.

In die tijd voelde ik mezelf niet eens een smokkelaar. De anderen ook niet. We gingen gewoon naar een land waar je eenvoudiger aan drugs kon komen en waar het goedkoper was. Bovendien konden we daar heroïne van een kwaliteit krijgen die het ons mogelijk maakte vette winst te maken. Maar die dag kostte ons dus alleen maar geld. De deal was honderd gram heroïne voor duizend franc per gram, honderdduizend franc in totaal dus.* Als je die honderd gram heroïne met dertig of in het ergste geval ergens tussen de vijftig en zeventig procent lactose versnijdt, maak je winst. Van honderd gram heroïne kun je op die manier bijna tweehonderd maken, die je voor minstens duizend frank per gram kunt doorverkopen. Uit een gram kant-en-klaar

* [Noot van de vertaler] In die tijd ruim dertigduizend gulden.

product kun je ongeveer tien doses om te spuiten halen. Wie een gram heroïne koopt, kan daar zelf met lactose weer minimaal anderhalve gram van maken. Als je nog een greintje fatsoen in je donder hebt, hou je niet meer dan een kwart gram voor je zelf, om de resterende driekwart weer aan te vullen tot een gram of hooguit twee tiende gram meer. Wie een kwart van die versneden heroïne koopt, maakt daar weer vijf of zes doses van voor eigen verkoop. Aan het eind van het verhaal zijn de verhandelde doses zo verdund, dat de verslaafde, als hij per ongeluk op bijna zuivere heroïne stuit, de flash van zijn leven krijgt. Op die manier kunnen ook 'ervaren' verslaafden worden verrast door een overdosis.

En dan te bedenken dat ik al moeite had met de tafels van vermenigvuldiging...

Omdat ik eigenlijk niet wil liegen tegen Sylvie, zeg ik dat ik alleen maar hasj uit Amsterdam heb meegenomen. Ik leg haar ook uit dat ik mezelf geen crimineel vind, omdat het me alleen om eigen gebruik te doen is. Zolang ik mijn eigen aderen maar kan volspuiten. Als dat misdaad is, ben ik slachtoffer van mijn eigen misdadigheid.

5

Ik ben zestien. Het is februari, ik zwerf al uren over straat en ik heb het heel erg koud. Ik verdraag het niet meer thuis te zijn, ik verdraag het niet meer zelfs maar in de buurt van ons huis te komen. Ik ben te diep gezonken en dat is goed aan me te zien, té goed zelfs. Ik moet wegkruipen, ergens onderduiken om elk contact met ouderlijk gezag te vermijden.

Mam,
Je hoeft je geen zorgen te maken. Het heeft geen nut de po-
litie te waarschuwen of mijn vrienden te bellen. Dat is
echt zinloos. Ik laat wel weer wat van me horen.
Ik hou van je.
Hélène

Ik heb het op een afgescheurd vel ruitjespapier geschreven en voor mijn moeder achtergelaten. Geen school meer voor mij, geen regels meer, ik ben het zat om voortdurend te moeten liegen. Mijn vrienden reizen de zon tegemoet. Vince en Doumé gaan naar Nice, waar hun moeder woont, en Sab en ik gaan mee.

Als ik niet met ze meega, wacht me in Parijs niets dan de kilte van de eenzaamheid. In het zuiden begint het leven pas echt. Daar ben ik vrij – eindelijk geen toneel meer spelen, geen therapie, geen volwassenen, geen banden.

Het is de eerste keer dat ik van huis wegloop.

Maar eerst moet ik de treinreis regelen. Ik ga naar de politie en zeg dat ik mijn paspoort kwijt ben. Bij de aangifte geef ik een valse naam en adres op, bovendien smokkel ik met mijn leeftijd. Dat kan makkelijk, want ik zie eruit als iemand van boven de achttien. Natuurlijk heb ik voor mijn gang naar het politiebureau eerst mijn rebelse outfit afgelegd; weg met de oorbellen en de soldatenkistjes, en die gaspit heb ik ook maar niet omgehangen. Exit punk.

Als ik nu word gecontroleerd is de tactiek eenvoudig: 'Ik ben op het vorige station op het allerlaatste moment in de trein gesprongen,' zeg ik en laat mijn gloednieuwe paspoort aan de conducteur zien. Die schrijft een kaartje met boete voor me uit met een valse naam en adres.

In Nice kan ik niet bij Vince slapen. Zijn moeder kent me en weet dat ik minderjarig ben. Maar hij heeft een oud, verlaten pand voor me gevonden aan de Promenade des Anglais. Te oordelen naar de hoeveelheid marmer moet het ooit, in een grijs verleden, een voorname uitstraling hebben gehad, maar nu zitten er geen ramen of deuren meer in en heeft de vochtige wind van zee vrij spel. We slapen op uitgevouwen kartonnen dozen die we op het marmer leggen. Het pand is helemaal leeggehaald, maar toch is het een luxe kraakpand, want je hoeft de weg maar over te steken om je op het uitgestrekte kiezelstrand te kunnen warmen in de zon.

Het liefst zou je op de bankjes blijven zitten en je laten wiegen door het geruis van de golven, maar dat is 's nachts onmogelijk. Het wemelt van de politie, clochards en verkrachters, dus we voelen ons veiliger in ons gekraakte onderkomen. Onterecht, zo blijkt later. De derde avond staan er ineens drie onbekende jongens in ons huis, waar iedereen natuurlijk zomaar in en uit kan lopen, zowel daklozen als randfiguren zoals wij. Het grote verschil tussen die twee is dat de dakloze elk contact met de buitenwereld heeft verloren, terwijl een gebruiker een getraumatiseerd bestaan in de marge van de samenleving leidt.

Het enige wat we gemeen hebben is de zon. Daklozen trekken massaal vanuit koudere regionen naar Nice omdat de kans dat je er van de kou sterft nu eenmaal kleiner is. Maar ze hebben de pest aan gebruikers en slaan die met enige regelmaat in elkaar, iets wat de lokale penose en andere mensen met te veel geld volstrekt koud laat, zolang daklozen maar niet agressief worden en gebruikers hun spullen niet jatten. Met andere woorden, het helpt niet als ik om hulp roep als er gevaar dreigt. En gevaar dreigt er Vince is er niet en Doumé en een andere vriend zijn onze enige bescherming. De anderen zijn met zijn drieën, behoorlijk aangeschoten, en bulderen: 'Hé kijk, wijven daar in de hoek!'

Ze raken slaags met onze jongens als ze bij ons proberen te komen. Doumé is met zijn lengte en kracht nog het best in staat ons te beschermen, maar de drie slagen erin hem in een hoek te drijven en slaan hem met zijn hoofd op een hoek van de marmeren schouw. Doumé zakt in elkaar, en ik wacht met angst en beven af wat er gaat komen. Doumés vriend maakt geen schijn van kans tegen het opgewonden dronken drietal, dat zich vervolgens op ons stort. Ze krijgen Sab eerst te pakken, maar even later ben ik ook aan de beurt. Ik zie hoe ze haar de kleren van het lijf scheuren. Ik verdedig me uit alle macht en schreeuw in een poging haar te helpen, maar ik ben geen partij voor ze en mijn verzet blijft steken in een zinloze worsteling. Doumés vriend heeft het onderspit gedolven, en terwijl de schoften mij vasthouden, probeert de derde Sab te verkrachten. Het is vreselijk. Maar dan zie ik Doumé moeizaam overeind komen. Hij raapt iets van de grond, een stuk hout of een afgebroken stuk marmer, heft het met beide handen boven zijn hoofd en laat het met een klap op het hoofd van de verkrachter neerkomen. Net op tijd.

Het maakt een raar geluid. Dof, een honkbalknuppel op een groot stuk hout, iets dergelijks, en tegelijkertijd een luide krak, als een vrucht die openbarst. De verkrachter zakt in elkaar. Sab worstelt zich onder hem vandaan, en degene die driftig bezig is mij de kleren van het lijf te rukken, kijkt om en schiet zijn ter aarde gestorte kameraad te hulp. We nemen onmiddellijk de benen, alle vier, Sab en ik nog halfnaakt. De weinige bezittingen die we hebben, laten we achter. We blijven niet rondhangen om te kijken of die jongen nog overeind komt of dood is. We stuiven de straat op en rennen door tot we een schuilplaats hebben gevonden. Zodra ze van de schrik zijn bekomen, komen die gekken weer achter ons aan, dus moeten we rennen, rennen, rennen en nog eens rennen, weg van dat vreselijke kraakpand om er nooit meer terug te komen. Doumé is bang om te worden herkend en vlucht naar Marseille. Vince vindt een ander kraakpand voor ons. Later horen we via de randgroeptamtam dat een of andere vent met een ingeslagen schedel in het ziekenhuis is terechtgekomen. We spelen de vermoorde onschuld, maar vragen met gespitste oren wat er is gebeurd: 'Wat vreselijk! Wat is er gebeurd? Waarom hebben ze zijn hersens ingeslagen?'

Ik heb doodsangsten uitgestaan. Zonder Doumé hadden

die drie ons verkracht en de jongens misschien wel in één moeite door vermoord. Sab vertel ik hoe ik al eens eerder aan een verkrachting ben ontsnapt.

Een avond om nooit te vergeten…

Ik was op bezoek bij mijn vriend Eric, die zich bij de Hell's Angels in Parijs ophield. We rookten een joint tot de heroïne kwam. Er werd gekopt. Eric deed de deur open en daar stond ineens een bende Hell's Angels, een stuk of tien zwaargewichten, gewelddadig, geen types waar je ruzie mee wilt krijgen. Voor hen is elke vrouw een gleuf. Ze doen alsof ze motorfreaks zijn, maar in feite zijn het gewoon misdadigers op zoek naar coke. Ze zijn erger dan skinheads, want ze trekken in grotere groepen rond. Skins zijn gevaarlijk en gewelddadig, bereid te doden, maar minder talrijk als ze op strooptocht zijn. Als je een van de meute afgedwaalde angel in elkaar slaat, weet je zeker dat al zijn vriendjes je opjagen tot ze je hebben gevonden, en dat ze zich dan niet afvragen wie de eerste klap heeft uitgedeeld. Eric, een vriend van school, was wees en beschouwde de Hell's Angels als zijn familie. We waren alleen, Eric en ik, toen die bende binnenviel. Ze stoven meteen op mij af.

'We pakken haar, we pakken haar.'

Eric deed wat hij kon: 'Eh, jongens, afblijven, ze is als een zus van me, we wachten op haar vrienden.'

Er bestaat een ongeschreven wet: moeder en zus zijn verboden terrein.

'Dat is je zus niet! Dus kunnen we met haar doen wat we willen.'

Ze knoopten hun broeken al los. Ik was twee centimeter verwijderd van een groepsverkrachting. Ze hitsten elkaar op: 'Kom, we nemen haar. Jij houdt haar vast…'

'Laat haar gaan, ik zal het jullie uitleggen,' zei Eric, die verder onderhandelde met de leider van de bende.

'Nee, je laat haar niet gaan. Niet voordat wij er met zijn allen overheen zijn geweest.'

'Wacht, we drinken eerst wat, het is altijd lekkerder als je wat hebt gedronken. Kijk, ik heb ook coke. We snuiven een paar lijntjes en dan zien we wel verder.'

De leider keek wantrouwig, maar ook geïnteresseerd.

'Het is een vriendin van me, dus, met alle respect, ik mag eerst, maar eerst een lijntje,' ging Eric verder.

Hij won. De Hell's Angels spoten niet. Ze lieten zich vollopen en snoven, maar junkies waren voor hen de vuilnishoop van de samenleving, het laagste van het laagste. Op het moment dat ik de deur opentrok, hield een van hen me nog tegen.

'Laat maar. Ik heb haar gevraagd wat drank van de overloop te halen. Ze gaat heus niet weg, bovendien wil ik haar eerst, ik ken haar,' zei Eric, waarna ik een veilig heenkomen kon zoeken.

We zaten in een kamer op de zesde. Ik ben nog nooit zo snel zo veel trappen af gestormd.

'Je zet bij mij geen voet meer in huis! Nooit meer!' zei Eric toen ik hem later sprak. 'Ik heb niks dan trammelant gehad. Ik heb zelfs nog met dat tuig moeten vechten om te voorkomen dat ze achter je aan kwamen! En ik maar doen alsof mijn neus bloedde. "O, die komt wel terug…" en "Wat een kreng! Ze heeft de benen genomen! Dat geloof je toch niet…"'

Ze geloofden hem uiteindelijk, maar ik heb Eric daarna nooit meer gezien. Te gevaarlijk voor hem. Maar dat was dus het oog van de naald voor mij…

Ik ga er van uit dat ik niet oud zal worden. Ik ben ervan overtuigd dat ik nooit van de drugs af zal komen. En het ergste is nog dat ik bewust voor die hel heb gekozen. Een nachtmerrie is dagelijkse routine geworden. Toch heb ik het idee dat ik een rol speel in een film. Het is alsof de werkelijkheid niet tot me doordringt, alsof ik er zelf geen deel van uitmaak. Door de heroïne-nevel en de verloedering in het algemeen lijkt alles ver van me af te staan. Je went eraan door de straten te moeten zwerven, je went aan het vuil en het gevaar. Je leeft alsof het oorlog is. Het risico verkracht te worden, een mes op je keel te krijgen, de bedreigingen, de vechtpartijen, na verloop van tijd is het zo gewoon geworden dat je het vergeet, dat je er zelfs om lacht, volstrekt onverschillig. Ik heb het allemaal meegemaakt, net als Sab, maar je stapt eroverheen. Je zet een spuit en praat er niet meer over.

Daags na de vechtpartij in het kraakpand, loop ik met Sab door de straten van Nice. We hebben honger en gappen fruit van uitstallingen voor groentewinkels. Door de kou, de honger en het feit dat we in ons nieuwe onderkomen 's nachts uit angst overvallen te worden geen oog dicht durven doen, zijn we de totale uitputting nabij. Het is een vies, stinkend hol, te erg voor woorden. Er is geen water, ook niet om te drinken, en natuurlijk zitten we op zwart zaad. We zouden kunnen bedelen, maar zoals wij eruitzien is dat geen oplossing. We lijken net daklozen.

Toen ik voor het eerst mijn hand ophield, speelde ik het onschuldige wicht dat haar moeder wilde bellen en daar muntjes voor nodig had. Dat werkte altijd. Maar in Nice zie ik eruit als een junk. Ik houd mijn hand wel op in het voetgangersgebied, maar de mensen lopen met een wijde boog om me heen. Ze durven hun portemonnee niet tevoorschijn te halen uit angst dat die door een ander wordt weggegrist. Ze houden er wel degelijk rekening mee dat achter meisjes als Sab en ik jongens schuilgaan die het juiste moment afwachten om toe te slaan.

Sab heeft een Rode Kruiswagen ontdekt waar je bloed kunt geven, maar omdat ze er jonger uitziet dan ik, maakt ze geen kans, en dus bied ik mijn diensten aan. Ik vul een formulier in en lieg over mijn leeftijd, waarna de vrijwilligers Sab binnen vragen, zodat ze niet in de kou hoeft te wachten. Ze geven haar zelfs een croissant. Ik ga zitten en de verpleegkundige pakt mijn arm…

'Goed, even een adertje zoeken'

'Nee, die niet, de andere kant, die is beter,' zeg ik en druk hem mijn andere arm onder de neus. Ik geef hem niet de gelegenheid het slagveld in mijn linkerarm te zien. Ik ben rechts, dus zet mijn spuiten bij voorkeur links. Omdat ik al tijden niets heb gegeten, val ik bijna onmiddellijk flauw. Een vrouw schudt me wakker.

'Wat is er aan de hand, mijn kind? Bent je zwanger?'

'Nee, nee, ik ben niet zwanger, maar ik heb nog niet ontbeten.'

Ze kijkt naar Sab: 'En jij? Heb jij ook nog niets gegeten?'

Het slangetje wordt losgekoppeld en we krijgen allebei iets te eten. Sab schrokt het gulzig naar binnen, net als ik. Maar zodra ik weer buiten sta, word ik overvallen door een golf van misselijkheid. Ik kan het niet binnenhouden; ik heb te lang niets gegeten, mijn maag heeft te lang niets te doen gehad. Sab houdt het wel binnen. Een volle maag is altijd meegenomen, dus in tijden van gebrek begin je gewoon opnieuw. Het is de enige manier om wat binnen te krijgen als je zonder geld zit.

Het gebrek aan heroïne begint ook een probleem te worden. Op een dag besluiten we de gasten bij wie we in huis zitten te beroven. Ze hebben ergens een hoop shit liggen, dus we hoeven alleen maar te wachten tot ze de deur uitgaan. We gaan mee de straat op, maar keren onmiddellijk terug, klimmen door het raam terug naar binnen en pakken de shit. We gaan meteen de straat op om het spul te dealen. We verkopen het eerst aan jongeren die we kennen, maar later overal, op stations, in het voetgangersgebied, flatwijken. Als je een kilo hebt, deal je plakken van tweehonderd gram aan onbekenden en porties van twintig of vijftig aan vrienden. Ten slotte verstoppen we vier plakken van tweehonderd-vijftig gram bij de moeder van Vince, zonder dat ze het weet natuurlijk, maar zijn broer heeft ze gejat. Dat hoorden we via Radio Randgroep: 'Kijk nou, daar heb je dinges, met shit…'

Dat is het spel. Je steelt en wordt bestolen. Dealen is niets anders dan de kunst te pakken wat je pakken kunt zonder zelf te worden gepakt. Je gaat ergens op de loer liggen en wacht af, wacht af tot die ene onbekende langskomt die ook op zoek is. Hij geeft een teken, je loopt in een bepaalde richting en die ander volgt op discrete afstand, dat voel je, en al die tijd ben je bang dat het een rechercheur is die jou wil oppakken of dat die ander niet alleen op de drugs uit is, maar ook op je papieren, je geld of zelfs je kleren. In Nice kennen we de gezichten inmiddels een beetje en we maken onszelf wijs dat we de trucjes van de politie ondertussen wel kennen. Ze denken dat we achterlijk zijn, maar een junk is vlug en vindingrijk als een kakkerlak, en net zo lastig uit te roeien. Als de deal eenmaal is gesloten, wisselt geld en dope van hand en maak je dat je wegkomt: 'Hier! Geef op!'

De ander weet dat hij geen tijd heeft te kijken wat hij in

zijn handen krijgt gedrukt; hij kan net zo goed worden opgelicht. Als het om een wat grotere hoeveelheid gaat, kan je
klant het willen controleren. Dan zoek je meestal een por-
tiek op, of een portaal van een gebouw, maar alleen als je van
tevoren hebt gecontroleerd of er nog een achteruitgang is.
De politie ziet ons naar binnen gaan en wacht tot we de deal
hebben gesloten om op ons heterdaad te kunnen betrap-
pen, maar tegen die tijd zijn we allang door die andere deur
verdwenen. Je moet zo'n deal grondig voorbereiden en regelmatig een ander plek zoeken. Soms gaat het om een echt
grote deal, en als de herinnering van een beroving nog vers
in je geheugen zit, zoek je zorgvuldig een plek uit en neem je
de koper pas op het allerlaatste moment mee.

Op zulke momenten giert de adrenaline door je lijf, maar
vreemd genoeg ben je toch de rust zelve, volkomen baas
over je emoties. Het is me in Parijs, Nice en Aix overkomen
dat iemand ineens een mes op mijn keel drukte, maar dan
liet ik alles in een reflex los. Overleven is dan het enige dat
telt. Ze hebben ook twee of drie keer een pistool tegen mijn
hoofd gedrukt. Sab en Vince kennen die naamloze angst
ook, die ervoor zorgt dat je alles ogenblikkelijk loslaat. De
overvaller grist de buit weg, verdwijnt en je kunt weer
ademhalen. Het is moordend. Shit dealen, heroïne kopen,
spuiten en weer opnieuw beginnen.

In Nice is er maar één spuit voor iedereen. Er is geen apotheek te vinden die ons naalden wil verkopen. (In die tijd, ik

was een jaar of zestien, hadden we het nog niet over aids, maar we waren als de dood voor hepatitis.) Je probeert de naalden te desinfecteren, of ze in een vlam te houden, maar dat verandert niets aan de spuit zelf. Het gevaar schuilt in het eerste bloed dat je trekt om te controleren of de naald wel goed in de ader zit. Eigenlijk moet je de spuiten in hun geheel uitkoken, maar die dingen zijn van plastic en verdragen die schoktherapie niet goed.

Als ik in Parijs nieuwe naalden had gekocht, verstopte ik ze overal, zodat ik nooit zonder zou komen te zitten. Wel heroïne hebben maar geen naald is een onverdraaglijke marteling. Ik verborg ze in de kroeg, boven op het deurkozijn, achter een losse tegel, in kleine gootjes onder reclameborden. Ik gebruik insulinespuitjes. Die zijn lang en dun, kleiner nog dan een sigaret. Maar in Nice, in ons kraakpand of op straat, eeuwig op zoek naar dope, waar we voortdurend gebrek hebben aan alles, delen we meestal een naald.

Omdat we bijna aan honger en kou zijn bezweken, nodigt Vince ons uit bij hem thuis. Zijn moeder is een paar dagen weg. Ik kan nu mooi mijn moeder bellen. Ik weet niet meer hoe lang ik al weg ben, alles is in nevelen gehuld. Ik wil haar geruststellen, zonder dat ze erachter komt waar ik zit. Nevelen of geen nevelen, zo uitgeslapen ben ik nog wel. Mijn moeder mag niet weten waar ik zit, onder geen beding, ook al vertrouw ik haar volkomen. Als ze eenmaal is gerustgesteld, neemt ze in ieder geval geen contact op met mijn vader. Maar eerst een douche. Dat voelt goed. Het voelt ook goed een koelkast open te trekken waar eten in ligt, te slapen in een echt bed, pure verwennerij na de beproevingen van de laatste dagen. In het kraakpand stonk het overal naar pis en kon je hoogstens met één oog dicht slapen. En ineens heb ik een dak boven mijn hoofd, vier muren om me heen en een deur met een veiligheidsslot. Het is geen feest, maar even hoef ik niet bang te zijn te worden verkracht of beroofd, en kan ik eindelijk met een gerust hart mijn ogen sluiten.

'Mam, bel me even terug op dit nummer. Snel, want ik blijf hier niet lang.'

Ze is op kantoor en belt onmiddellijk terug, maar mijn vader zit in het kantoor ernaast, hoort dat het over mij gaat en gebaart dat ze me zo lang mogelijk aan de praat moet houden. Hij noteert het nummer en belt op een ander toestel de politie in Cannes. Mijn moeder heeft niet in de gaten wat hij doet en praat er dus ook niet over tegen mij. Ze vraagt honderduit en ik beantwoord haar vragen, stel haar gerust, zoals gewoonlijk. Alles gaat goed, ik eet, ik ben bij vrienden thuis.

Later blijkt dat een van de klanten van mijn vader op het hoofdbureau van politie in Cannes werkt, en terwijl de molens draaien, bestookt mijn moeder me met vragen: 'Waar slaap je? Wat eet je? Heb je iets nodig? Ben je niet ziek?'

Ik blijf lang zitten bellen. Ik wil dat ze zich geen zorgen om me maakt, dat ze het goedvindt, zelfs zonder het met zoveel woorden te zeggen, dat ik van huis ben weggelopen, dat ik ergens anders leef, ook al is dat in de goot, dat ze me de kans geeft dit leven in wanhoop tot het bittere eind te leiden, dat ze blijft geloven in een jeugdige anarchistische rebellie, in een kleine misstap van een punkmeisje. Ik leef erop los, maar het tienermeisje dat ik ben, denkt dat mijn moeder een breekbare vrouw is.

6

Het is een oud politiebureau, met houten bankjes. Ik herken hem aan zijn voetstappen. Ik weet dat hij het is, maar begrijp niet hoe hij dat zo snel heeft gedaan. Ik zie hem binnenkomen. Ik sta wel op, maar hij gunt me geen blik waardig en spreekt geen woord tegen me als hij voorbijloopt op weg naar het kantoortje van de agent. Volgens mij is hij pisnijdig. Ik heb zijn gezag getart, ben als een hond op de vlucht gegaan en nu komt hij me halen. Terug naar het asiel.

Ik wacht gelaten op mijn houten bankje op de gang. Ik heb de waanzin van de afgelopen dagen van me af gewassen en zie er gelukkig enigszins presentabel uit, een hele opluchting. De politie heeft me bij Vince thuis ingerekend en afgevoerd, en nu is hij er al. Hij moet nog tijdens het telefoongesprek op het vliegtuig zijn gestapt.

Na een paar minuten komt hij weer naar buiten, nog

steeds gehuld in een omineus stilzwijgen. Hij heeft me nog steeds niet aangekeken.

'Je vader neemt je mee,' zegt de agent dan.

De hond volgt. Ik wacht tot hij iets zegt, dan kan ik tenminste antwoorden dat ik helemaal niet terug wil. Geen stom woord. Pas in het vliegtuig doet hij zijn mond open.

'Vanaf nu ontferm ik me over je. Het is uit met de pret.'

Alsof ik al die tijd pret heb gehad.

Zich over me ontfermen, dat is weer eens iets anders, maar ik ben er niet blij mee. Ik ben benieuwd wat dat inhoudt, over me ontfermen. Kennelijk denkt hij dat mijn moeder me aan mijn lot heeft overgelaten, me 'pret' heeft laten maken, zoals hij dat noemt. Dat ik een loopje met haar heb genomen, dat ze geen enkel gezag over me heeft. Dat ik niet zo diep was gezonken als hij strenger was geweest. En dat hij mijn opvoeding nu in eigen hand neemt. Hij gaat zich van zijn vaderlijke rol kwijten, want moeder heeft jammerlijk gefaald.

In eigen hand nemen betekent in eigen huis opsluiten, onder het waakzame oog van zijn nieuwe vrouw, Paquita. Ik had liever een goed gesprek met hem gehad, iets constructiefs, liefde, de keiharde waarheid, en dat hij dat vreselijke masker van de door zijn ontaarde puberdochter geschokte vader had afgelegd. Ik vermoed dat hij uit mijn kleine vlucht heeft afgeleid dat ik niet van hem hield, en iedereen moet van hem houden. Ik spreek geen oordeel over hem uit, veroordeel hem niet, want hij heeft ongetwijfeld gedaan wat hij kon. Ik wil er met hem over praten, maar in plaats daarvan gooit hij de deur van zijn appartement in het slot. Ik zit achter slot en grendel en hij gaat aan het werk.

Een joint is natuurlijk uit den boze, net als een sigaret. Hij is allergisch voor de rook. Ik trek me terug op het balkon om te roken. Ik mag niet bellen, ik mag de deur niet uit, ik mag niemand ontmoeten.

Toch vind ik een manier om aan heroïne te komen, via een vriend die het onder de deurmat op de galerij voor het appartement verbergt. Ik weet alleen niet meer met wie ik dat heb geregeld, mijn geheugen laat me te vaak in de steek. Waarschijnlijk een vriend die weet dat ik altijd betaal. Het moet Michel zijn geweest, de enige van mijn vrienden die er netjes uitziet. Hij moet bij mijn moeder hebben geïnformeerd hoe het met me ging en te horen hebben gekregen dat ik weer in Parijs terug ben. Gelukkig bezorgt hij aan huis.

De enige plek waar ze me alleen laten is de wc. Zelfs in de badkamer wijkt Paquita niet van mijn zijde. Wanneer Paquita me onder streng toezicht buiten laat, haal ik de heroïne onder de deurmat vandaan; de spuit verberg ik achter het behang op de wc, in een hoekje waar het heeft losgelaten. Ik ben zo behendig als een kakkerlak…

Vervolgens hang ik een of ander smoesje op om me op

het toilet te kunnen opsluiten, ik ben geconstipeerd of heb darmkrampen, zoiets. Paquita houdt dan argwanend de wacht bij de deur.

'Wat doe je?'

'Laat me nou even, ik heb last van verstopping,' zeg ik dan voor ik eindelijk een spuit kan zetten.

Zo houd ik het een maand uit in het appartement. Denkt mijn vader dat hij me met die opsluiting kan dwingen af te kicken? Ik denk het niet, hij weet niet eens hoe erg ik eraan toe ben. Ik heb nooit iemand iets verteld, behalve Sylvie, maar zelfs tegenover haar zwakte ik mijn heroïne-inname af, en zij had me plechtig beloofd te zullen zwijgen. Ik denk dat mijn vader – met de beste bedoelingen, daar twijfel ik niet aan – heeft geprobeerd te voorkomen dat ik omging met 'verkeerde vrienden', dat ik weer joints zou gaan roken.

Het jonge ding terug in de schoot van de familie? Omdat een meisje van zestien nu eenmaal niet alleen over straat mag?

Ik snap die tegenstrijdigheid bij hem niet. Aan de ene kant hangt hij de liberaal uit, mag een twaalfjarige Tahiti-aanse rustig de liefde bedrijven, 'dat is ook niet meer dan normaal', maar aan de andere kant heeft zijn eigen dochter niet het recht uit haar bol te gaan in een poging dat allemaal te begrijpen en mag zíj uit naam van de liefde geen uitvluchten voor hem verzinnen.

Ik mag Paquita graag. Ergens in mijn achterhoofd zwerft

nog dat grote, uit de nevelen van mijn kindertijd opgerezen vraagteken: is zij mijn echte moeder? Dat is ook zo'n vraag waar ik dolgraag antwoord op zou krijgen. Niet dat ik een moeder mis, want in gedachten ben ik nog steeds bij mijn officiële moeder, die ik nog steeds probeer te beschermen, die me verzorgt als ik ziek ben, die er altijd is, die me lekkernijen toestopt, zelfs als ik niet meer kan.

Maar dat mijn vader in een poging me te helpen mij nu zijn gezag oplegt, betekent dat zij een stap heeft teruggezet.

Ik wilde dierenarts worden, maar hij zei: 'Je hebt al moeite met de tafels van vermenigvuldiging, dus diergeneeskunde kun je op je buik schrijven.' Op een dag neemt Paquita me mee voor een wandeling, nog steeds onder streng toezicht. Als ik me goed herinner is het een regenachtige dag aan het begin van de lente; ik kan me in ieder geval haar paraplu herinneren. We lopen over het Place de la Nation en mijn oog valt op de praktijk van de dierenarts van onze hond. Als klein meisje was ik al dol op de man en het werk dat hij doet.

Mijn ouders wilden nooit van een huisdier weten, maar toen ik bijna elf was, kreeg ik van mijn vader een pup, een teefje, een boxer. Ik hield hartstochtelijk van het beest, een bonk aanhankelijkheid. Natuurlijk werd ze steeds groter, maar ik vond het heerlijk om haar uit te laten. Het was onze hond, maar ik zorgde voor haar. Ze heette Jenny. Toen ze hondenziekte kreeg, ging ik met haar naar de dierenarts, en ik was meteen verknocht aan zijn werk. Hij heeft me vakantiewerk laten doen en me ontzettend veel geleerd. Ik ben met Jenny ook naar een hondenschool geweest, om haar te leren beter te gehoorzamen, en daar geïnteresseerd geraakt in diergedrag en de studie ervan. Ik leefde in een wereld waarin ik nauwelijks communiceerde, maar werd geboeid door de vergelijking van menselijk gedrag en non-verbale communicatie. De opvoeding die kinderen krijgen, ontbeerde in mijn ogen ineens alle logica: 'Als je niet zus of zo doet, krijg je een tik!' Als je een hond die niet gehoorzaamt een klap geeft, komt hij nooit meer terug. Een hond heeft behoefte aan vertrouwen en moet zich beschermd weten, anders leert hij niks. In die dierenarts heb ik een van de weinige mensen ontmoet die een hartelijke, consequente, menselijke taal sprak. Ik assisteerde hem aan de operatietafel en heb op die manier kennis gemaakt met veterinaire chirurgie. Ik was ergens nuttig voor. Maar volgens mijn vader was het zonder de tafels van vermenigvuldiging onmogelijk. Ik mocht niet dromen, ik mocht geen klaproos of gardenia worden, niet in een wereld van gestandaardiseerde rozen – zelfde steellengte, zelfde kleur, zelfde geur.

Als ik het uithangbord van mijn dierenarts zie, heb ik ineens zin hem gedag te zeggen, een paar woorden met hem te wisselen, herinneringen aan het enthousiasme van de twaalfjarige op te halen, maar Paquita weigert: 'Geen sprake van.'

'Maar ik wil alleen maar…'

'Nee. Het is nee en het blijft nee.'

Ik vind de autoriteit waarmee ze het zegt absoluut belachelijk. De behoefte aan een weerzien met die man is een terugkeer naar mijn kindertijd, naar de tijd 'ervoor', een soort levensdrift, en dat terwijl ik de dood al ongeveer drie jaar recht in de ogen kijk. Ze eist gehoorzaamheid, maar je kunt van iemand als ik geen gehoorzaamheid eisen. Daarmee voed je hoogstens het verlangen ongehoorzaam te zijn. En ze onderstreept haar gezag met een ridicuul gebaar, terwijl ik de rust zelve ben. Dreigend priemt ze de paraplu in de lucht, alsof ze wil zeggen: 'Ik heb het nu voor het zeggen en je doet wat ik zeg, we gaan naar huis en niet naar de dierenarts.'

En daar is de reflex ook al. Ze wil me dreigen, maar een paraplu is in mijn ogen geen goed argument, daar ben ik echt niet bang voor. Ze hebben me al eens een pistool tegen mijn hoofd gedrukt, een mes op mijn keel gezet, wat kan mij die stomme paraplu schelen? Het slaat nergens op. Ik een paraplu gehoorzamen? Belachelijk! Het is een agressieve daad terwijl ik zo mak ben als een lammetje en totaal geen kwaad in de zin heb.

Ik ben woest. Ik pak haar beet en werk haar tegen de grond.

'Dat doe je niet nog een keer!' schreeuw ik en been weg, niet eens snel, maar wel gedecideerd. Ik ben kwaad op haar en op mezelf, want het ergert me dat ik het zover heb moeten laten komen om haar te stoppen. Ik loop van Nation naar de Cours de Vincennes en wacht even, een moment van bezinning voor ik me in het oude vertrouwde drugsmilieu terugtrek. Er is geen weg terug, dat laten ze niet over hun kant gaan. Onmogelijk. Ik heb haar tegen de grond gegooid, vernederd waar iedereen bij was. Toch ben ik van goede wil geweest. Wat heeft ze zich in haar hoofd gehaald? Dat ik alleen naar de beste man toe wilde om zijn naalden te stelen? Misschien had ik dat nog wel gedaan, in het voorbijgaan, stiekem. Ik heb genoeg van het gebruikte ding dat ik op de plee heb verstopt, ik zou best een nieuwe willen. Maar dat doet er niet toe, ik wilde hem weer zien, de dierenarts van mijn dromen, de man die me als jonge tiener vertrouwen had geschonken, de zeldzame volwassene die me zoveel had bijgebracht. Ik was oprecht, ik had helemaal geen bijbedoelingen.

Het is voorjaar, het is niet koud. Ik ben op zoek naar een vriend en tref Petit Philippe, een aardige junkie; hij stroomt over van liefde, maar zit gevangen in een ijzeren kooi. Philippe, klein, niet knap, maar o zo aardig. Hij prostitueert zichzelf. Later vertelt hij me dat hij als kind is misbruikt. Hij probeert te overleven, hij geeft het zelf toe: 'Ik verkoop mijn kont om aan heroïne te komen.' Hij heeft geen familie meer, dus heeft verslavingszorg zich over hem ontfermd. In het begin koesterde ik nog argwaan jegens hem. Wij, ik en de andere leden van onze kleine groep, hielden onszelf voor dat we streken uithaalden om te kunnen trippen, omdat dat lekker was, zonder daar verder bij na te denken. Maar híj kon wel eens een echte junk zijn, van het verdorven soort, erger dan erg, zo eentje waar je voor moest uitkijken, diep gezonken, zonder vrienden, die je keel doorsnijdt als het moet, die god noch gebod kent.

Ik ken de gevaren en toch vraag ik of hij iets voor me heeft.

'Jawel. Hoe betaal je?'

'Geen flauw idee.'

Hij kent me van gezicht, van de straat, nog niet echt als junkie, want mijn groep houdt hem op een afstand. Hij heeft niets te verliezen, hij kan je Vim in plaats van heroïne verkopen en zijn schouders ophalen als je vervolgens crepeert.

En toch lijkt hij blij dat ik naar hem toe ben gekomen, dat ik met hem praat.

'Geeft niet, je mag zo wel wat hebben.'

Dat is niet normaal in het heroïnecircuit. Het is ongeloofwaardig. Ik ben stomverbaasd, maar tegelijkertijd superwantrouwig. Hij moet een jaar of vijfentwintig zijn. Een paar vlassige haartjes op zijn hoofd, een paar tanden manco, maar verder een alledaags gezicht, schoon op zichzelf, redelijk netjes gekleed, maar nooit zelfs maar een vage glimlach om zijn lippen. Een onopvallende straatjongen, onzichtbaar bijna. En we praten veel. Petit Philippe wordt een vriend. Hij werpt zich op als een ware beschermer. Hij vraagt me nooit om geld, want hij wil niet dat ik voor mijn portie bruin de criminaliteit in ga.

'Wacht, als je van plan bent een flatje te doen, of een tasje te roven, ga ik wel met je mee, dat is niet meer dan normaal, we gebruiken tenslotte ook samen.'

'Niet nodig.'

'Laat me dan in ieder geval op de uitkijk…'

'Nee.'

We doen het nooit samen, ook al slapen we meer dan eens in hetzelfde 'bed'. Hij heeft een hekel aan zichzelf en verdraagt het niet dat ik me aan hem zou bezoedelen. Hij kan zich niet voorstellen me zelfs maar aan te raken. Voor hem is homoseksualiteit geen voorkeur, maar een beroep, en het resultaat van een verkrachting op jonge leeftijd. Die jongen leeft in de donkere krochten van de drugshel, in een vijfsterrenpoel des verderfs waar je alleen leeft voor je volgende shot, en hij houdt van me alsof ik zijn kleine zusje ben. Hij waakt ervoor dat ik zijn voorbeeld volg, want voor hem betekent dat het einde van de weg. In het ritme waarmee hij spuit, heeft hij misschien nog een maand of vijf, zes te leven. De dood loert al op hem, op een eenzaam, verlaten plekje, maar het doet hem niks. En dan deelt hij zijn drugs ook nog met me.

'Wat kan mij het schelen, ik laat mijn broek twee keer zo vaak zakken, dan heb ik twee keer zoveel heroïne en die deel ik met jou. Maak je niet druk.'

'Maar wat kan ík dan doen?'

'Niks. Laat je hier nou maar niet mee in.'

Niks deal, hij is gewoon goed voor me. Ik ben nog niet zo diep gezonken als hij, want ik kan in mijn eentje nog niet aan genoeg heroïne komen om echt zwaar verslaafd te raken.

Ik ben een paar dagen spoorloos. Ik moet ten minste een keer bij mijn moeder thuis verdwaald zijn geraakt, want ik zie mezelf met Petit Philippe in mijn eigen bed liggen. Maar verder is het een beetje vaag. Misschien ben ik ziek… Hoe dan ook, ik spreek Sylvie en die ziet dat ik een flinke terugval heb gehad. Ze neemt de toestand met mijn ouders op, zonder over de oorzaak uit te weiden, en legt hun drie opties voor: 'Of ik laat haar opnemen en dan lopen we het risico dat ze de benen neemt, of u neemt haar in huis, onder zeer streng toezicht, of ik stuur haar naar een gastgezin in de Alpen.'

Met bloedend hart verlaat ik Parijs. Ze wil me uit het drugsmilieu losweken, misschien is dat een oplossing, want ze vreest voor mijn gezondheid. Daar zit ik dan. Honderden kilometers van Parijs, bij vreemden. Het is bitter koud, ik heb zelfs geen stickies en zit weer in de derde met allemaal kinderen van mijn leeftijd, die zich over de normaalste puberdingen druk maken. De diepe binnenlanden. Vanzelfsprekend weet ik binnen twee dagen wie er stickies roken, en hoe ik er zelf aan kan komen. Toch wil ik mijn best doen op het goede pad te blijven en de draad van het leven weer op te pakken. Ik ben van God en alleman verlaten in dit koude, afgelegen gebied. Over twee weken komt Vince langs; ik kijk ernaar uit als was hij de Messias. Gelukkig heb ik hem regelmatig aan de telefoon. Ik krijg medicijnen, omdat ik geen oog dicht doe en omdat mijn lever niet wil dat ik eet. Ze stoppen me vol met kalmeringsmiddelen en antidepressiva, paardenmiddelen, anders werken ze niet. Ik tel de dagen.

Het is eindelijk vrijdag, de dag dat Vince komt. Ik heb het rijk voor mij alleen, want het gastgezin is een dagje naar de grote stad. Ik ben dus alleen als Vince belt om te zeggen dat het hem vreselijk spijt, maar dat hij niet kan komen. Mijn vriendje, mijn enige emotionele houvast, zit in een bandje en moet de volgende dag ergens optreden.

'Maar volgende week kom ik! Beloofd!'

'Nee, onmogelijk, je kunt me niet laten zitten hier, ik kan niet meer.'

'Maar schatje, het kan gewoon niet, ik kan de band niet laten zitten. Volgende week ben ik er, echt!'

Het is vreselijk, die teleurstelling. Ik stort volledig in, en tot overmaat van ramp heb ik door het gebrek aan heroïne vreselijk last van ontwenningsverschijnselen. Die weldadige verdoving is weg en het verdriet en die pijnlijke, morbide kijk op de werkelijkheid keren in volle hevigheid terug. Dat zet normaal gesproken de radertjes ook in beweging. Om dat afschuwelijke moment voor te zijn, duik je onmiddellijk in je voorraden om te kunnen spuiten, en dan begint het hele verhaal opnieuw, tot je verslaafd bent en gebrek aan middelen om het leed af te wenden een ondraaglijke fysieke pijn wordt. Ik heb geen heroïne en wil alleen nog maar dood.

Je denkt altijd dat je er wel uitkomt als je eenmaal het besluit hebt genomen je daarvoor in te zetten, dat het ooit, op een goede dag is afgelopen, dat je aan het drijfzand weet te ontsnappen en je weer met opgeheven hoofd de wereld tegemoet kunt treden. Daar houd je je aan vast, tot je ook daarin niet meer gelooft. Ik heb dat laatste stadium inmiddels bereikt. Ik heb het opgegeven, ik vecht niet meer, ik zal nooit van de drugs afkomen.

Omgeven door niets dan ijzige leegte leg ik de hoorn op het toestel. Ik zak weg in een diepe depressie en slik alle medicijnen die ik heb gekregen. Ik heb een voorraadje. Ik gooi ze in een plastic beker en leeg die in mijn mond. Een handvol en dan een slok water. Het zijn er zo veel dat ik ze niet eens allemaal weg krijg. Ik werp een blik in het barretje, maar ik ben in huis bij nette mensen en daar staan alleen flessen lichte alcohol. Maar er staan wel véél flessen, die ik dan ook consciëntieus soldaat maak.

Dan gaat de telefoon. Mijn moeder. Mijn ouders staan op een vakbeurs in Parijs, samen op één stand, zoals gewoonlijk.

'Dag schat, hoe gaat het met je? En Vince, komt die vanavond? Ik ben blij voor je, het zal je goed doen iemand op bezoek te hebben die van je houdt. Ik heb hem gisteren nog aan de telefoon gehad...'

Ik probeer haar uit te leggen dat hij niet komt, maar de medicijnen beginnen te werken. Mijn moeder praat en praat, maar het dringt bijna niet meer tot me door. Ik heb moeite met articuleren en val aan de telefoon langzaam in slaap.

'Maar wat is er toch met je? Heb je gerookt? Heb je gedronken?'

'Het is niet erg...'

Ik leun mijn rug tegen de muur en laat me op de grond zakken; al zittend verzet ik me nog even.

'... Het is niet erg, ik kan het wel blijven zeggen, ik heb geen zin meer om te leven, dwing me nou niet...'

Ik zak zijwaarts op de grond en hoor mijn moeder in de verte tegen me praten.

'Schat, wakker worden, blijf nou wakker, blijf nou wakker! Niet in slaap vallen!'

'Je bent te ver weg, je kunt niks doen...' hoor ik mezelf zeggen.

Mijn laatste herinnering is de hoorn op de grond en de

stem van mijn moeder die de brandweer belt, of een ambulance, waarschijnlijk op een ander toestel. Omdat ik alleen ben, kan ze niet goed uitleggen waar ik zit. Ze kent de naam van het gastgezin en ze kent de plek, want ze heeft me hier afgezet. Ze herinnert zich een supermarkt naast het huis. Met de naam van de mensen en de beschrijving die ze geeft, lukt het de ambulancebroeders het adres te vinden. Ze breken de deur open en vinden me languit op de vloer. Ik herinner me nog vaag mannen die me optillen en de stem van mijn moeder door de telefoon: 'Schat, praat tegen me, zeg iets, toe, ik hou van je...'

Tot een brandweerman de hoorn oppakt: 'Het is in orde, we hebben haar gevonden, ze leeft nog...'

Als ze me vinden is er een uur verstreken sinds ik de eerste pillen verzwolg. Ze spoelen mijn maag, een monsterlijke ingreep, en als ik weer bij kennis ben, huil ik tot ik geen tranen meer heb: 'Waarom hebben ze me weer teruggehaald, waarom dwingen ze me te leven? Het is walgelijk! Het is egoïstisch!'

Een minuut later vraag ik mijn moeder om vergiffenis dat ik haar dit heb aangedaan. Dat ik het heb overleefd is voor haar het enige dat telt. Ze moet de schrik van haar leven hebben gehad, en beseft dat ze onnoemelijk veel geluk heeft gehad door precies op het juiste moment te bellen. Puur toeval. Ik ben twee dagen opgenomen geweest, maar herinner me niets van mijn vertrek uit het ziekenhuis.

Goed, ik leef dus nog, maar op dat moment beschouw ik dat niet als een meevaller. Mijn ouders werken te hard en kunnen niet komen. Als ik me goed herinner, wil mijn vader niet dat ik naar Parijs terugkeer. Vince komt toch eindelijk langs. Hij blijft een week bij me, bij het gastgezin, en gaat veel skiën. Ik denk dat ze niet weten wat ze met me aan moeten. Ja, dat zal het zijn geweest.

Mijn ouders moeten een vreemde periode hebben doorgemaakt toen. Ze spraken al jaren niet meer met elkaar, maar werkten wel samen. En dan hebben ze ook nog een dochter die graag dood wil.

Ik zeg verder niets meer. Ik houd mijn verdriet voor me, want dat ik nog leef heb ik aan mijn moeder te danken. Het zou misplaatst zijn en ik zou haar onnoemelijk veel verdriet bezorgen. Als mijn dood dan tenminste nog enig nut voor ze zou hebben gehad – dat ze genoodzaakt waren met elkaar te praten, hun maskers af te leggen om elkaar recht in de ogen te kunnen kijken. Misschien wilde ik ze, door mezelf zo aan gevaar bloot te stellen, door de dood na te jagen, wel weer bij elkaar brengen. Maar dat was niet het enige. Er was ook dat diepgewortelde ongeluk van de jonge verslaafde die niet wil toegeven dat het leven pijn doet, dat hij lijdt aan het leven, en daar al helemaal niet over wil praten. Nee, dat nooit. Dan nog liever dood.

7

Als iemand me doelbewust verslaafd heeft gemaakt, is híj het wel. Hij zit met een kop koffie aan een ander tafeltje, maar ik heb hem hier vaker zien rondhangen, bij bekenden van me, maar niemand vertrouwt hem. Ik ben een of twee aanvoernetwerkjes kwijtgeraakt en Sab zit in de Midi. Ik ben in café Louis XVI. Hij heeft me waarschijnlijk al eens met Petit Philippe op zien trekken. Ik herinner me zijn gezicht. Hij is licht kalend, met van die inhammen, heeft dun, kroezend haar, en draagt altijd lange jassen, een soort mantels.

'Jij weet zeker niet toevallig hoe ik aan bruin kan komen?' vraag ik hem.

'Ik heb vijf gram. In het hotel, want daar ga ik niet mee over straat.'

Hij is goed gekleed, ziet er verzorgd uit, en heeft een kamer in het hotel tegenover mijn school. Hij is een jaar of dertig. Ik vertrouw hem niet, omdat hij een louche, ongure indruk maakt. En bovendien, waar haalt hij die heroïne vandaan, en dan nog voor niks ook. Maar hij ziet er niet onbemiddeld uit, woont in een hotel en beweert dat hij ik weet niet meer wat van deur tot deur verkoopt en dat lijkt plausibel. Zijn kamer ziet er heel anders uit dan de verslaafdenhokken die ik heb gezien. Een kamer in een eenvoudig hotel; er staat niet veel in, maar kleine details wekken de indruk dat hij inderdaad een baan heeft en genoeg verdient om dagelijks te gebruiken. Het is in ieder geval geen punker. Ik ga met hem mee, ook al besef ik dat ik een risico neem. Het zou niet de eerste keer zijn dat ze alleen maar tussen mijn benen willen, ik blijf op mijn hoede. Maar het gaat goed, ik zet een spuit en ga weer.

'Kom gerust nog eens langs, ik heb altijd wat in huis. Je bent welkom.'

Diezelfde middag ga ik nog een keer bij hem langs en zet ik samen met hem een spuit. Daarna ga ik weer, om de volgende ochtend opnieuw bij hem aan te kloppen. Na een dag of twee, drie zit ik op een gemiddelde van vier of vijf spuiten per dag. Omdat hij heroïne in overvloed heeft, neem ik ook heroïne in overvloed en het spul is ook niet zo verdund dat je niks voelt. Nee, hij houdt van kwaliteit.

Wat ik bij hem gebruik, komt dus overeen met tien doses straatheroïne. Hij heeft alles op zijn kamer en ik merk meteen dat hij een pro is. Hop de spuit, hop de lepel, hop afbinden, alles met hetzelfde gemak als waarmee hij koffie drinkt.

De knevel bijvoorbeeld. In het begin vraag je een ander die vast te houden, maar hij pakt zijn riem of stropdas en trekt die met zijn tanden strak, en met gemak! En hij blijft me maar heroïne geven, elke dag opnieuw, en soms geeft hij me zelfs heroïne mee, voor als ik 's avonds zin krijg. Ik voel een zekere afkeer voor de man, maar hij is een bron van gratis heroïne. Ik ga er met tegenzin heen, en we hebben geen relatie, we zijn niet eens echt vrienden. Soms, als de heroïne zijn werk doet, deel ik het bed met hem, maar niet omdat ik ernaar verlang. En als hij onder zeil is, pak ik alles mee wat ik kan dragen. Op dat soort momenten weet ik precies wat ik doe, ook al is de wereld soms nevelig. Eigenlijk ben ik een vreselijke hypocriet. Ik maak misbruik van iemand waar ik niets mee te maken wil hebben, die ik veracht, die me niets doet, erger nog, waar ik van walg. Ik ben zo diep gezonken dat ik overal toe bereid ben als ik maar heroïne kan scoren. Het wantrouwen blijft. Ik neem zijn drugs 's avonds wel mee naar huis, maar vertel hem niet waar ik woon. Ik zou willen dat ik de volgende dag niet terug hoefde, maar ik doe het toch omdat het niks kost en ik anders de criminaliteit in zou moeten om in mijn groeiende behoefte te kunnen voorzien.

Maar dan krijg ik de rekening. Niets in het leven is gratis, zeker niet in het drugsmilieu.

'Goed, het wordt tijd dat we centjes gaan verdienen, kom maar mee.'

'Wat gaan we doen dan?'

'Niks bijzonders. Kom maar, ik leer het je wel.'

Hij zet me meteen aan het werk. Ik moet op de uitkijk naar mensen die hun auto verlaten om een pakje sigaretten te kopen en hun sleutels in het contact laten zitten. Die truc ken ik al, en ik vind het niet zo erg. De auto wordt doorverkocht aan iemand die hem stript. Soms gebruiken we de auto nog even, voordat we hem van de hand doen. Als hij me maar geen tassen laat roven bij oude dametjes. Dat heb ik bijna een keer gedaan, maar ik hield me op het laatste moment in. Ik was bang dat ik haar pijn zou doen. Maar andere dingen doe ik wel. Ik laat de punkperiode achter me. Hij transformeert me tot een net meisje, zodat ik niet opval als we in de zakenwijken van Parijs onze slag willen slaan. Aanvankelijk werken we samen, maar op een gegeven moment zegt hij: 'Oké, je weet nu hoe het moet, je kunt het nu wel zonder mij. Ik wacht beneden op je.'

Ik loop het gebouw binnen en doorkruis de gangen op zoek naar een kantoor met weinig mensen, tot ik ergens een damestas zie staan. Als iemand me vraagt wat ik daar te zoeken heb, is het antwoord een eenvoudig: 'Weet u waar mevrouw X werkt?', en als ze me met rust laten, gris ik de tas weg en loop het kantoor weer uit. Soms zit er geld in de tas, soms een pasje, maar het is ons vooral om adressen en sleutels te doen. In een mum van tijd hebben we het huis gevonden en leeggeroofd, vaak nog voor het slachtoffer in de gaten heeft dat haar tas weg is.

Thuis leid ik ze om de tuin. Hoewel ik bijna voortdurend stoned ben, is mijn moeder blij dat ik contact met haar houd, ook al is het dan een zeer beperkt contact, zo nu en dan een douche neem en mijn kleren in de was doe. Ze vraagt of ik wel goed eet en ik zeg altijd ja, hoewel ik alleen nog maar pap eet. Wat ik doe, kun je eigenlijk niet eten noemen. Ik ga niet aan tafel, maar vul mijn maag aan de kraan, drink een paar slokken warm water en prop er aardappelpuree, bouillon of een hap brood achteraan. Alleen om iets zachts in de maag te hebben als ik moet overgeven.

Geen eten meer, geen zin, geen plezier, geen kleren, geen puf meer, alles is me te veel. Kleren kopen is een probleem, want dan moet ik mijn armen verbergen.

De tijd verstrijkt. Volgens mij zie ik Sylvie in die periode ook nog een paar keer. Het is allemaal erg mistig. Op een dag beloof ik mijn zus samen met haar een filmpje te pakken. Maar ik zeg tot twee keer toe af, omdat we een deal moeten sluiten of ergens een kraak moeten zetten. Mijn zus is dan erg teleurgesteld: 'We zien elkaar nooit meer en ik heb echt zin om met je naar de film te gaan.'

Ze sluit zich thuis op. Ik besef dat het voor haar niet alleen een kans is de deur uit te komen, maar dat het ook genegenheid van haar kant is. Elke keer dat ik onze afspraak afzeg, voel ik me rot, omdat ik heroïne verkies boven mijn zus.

Het contrast tussen haar wens met mij naar de bioscoop te gaan en het leven dat ik leid is schrijnend. Dat dubbelleven is een verschrikking, want je hebt voortdurend het gevoel dat je je eigen familie verraadt. En dus neem ik op een dag een ferm besluit, maar de handelsreiziger in heroïne weigert mee te werken.

'Nee, kan niet. We hebben niks meer, we moeten nieuwe halen.'

'Geen denken aan! Ik ga, ik heb het haar beloofd. Dit kan ik haar niet aandoen.'

'Nou en, wat kan ons dat schelen?'

Ik houd voet bij stuk, maar hij laat zich zeer minachtend uit over mijn zus. Ik heb er genoeg van: 'Nu ben ik je gezeur zat. Ik heb mijn zus beloofd dat ik met haar naar de bioscoop ga. En dat ga ik ook doen. Jij kunt doen wat je wilt, maar ik ga niet met je mee.'

Het is al eerder voorgekomen dat we bijna zonder heroïne zaten en dan zei hij soms: 'Als het niet anders kan, moet je maar een vent oppikken.'

'Ik pik niks op. Daar begin ik niet aan.'

'Het zal er toch een keer van moeten komen.'

'Niks ervan. Kraken zetten, tasjes roven, jouw werk doen, prima, maar daar houdt het mee op. Ik ga niet de baan op.'

Ik voel dat hij bezig is onweerlegbaar duidelijk te maken dat ik aan hem ben overgeleverd, dat hij mijn enige bron van niet-lijden is. Hij houdt wel van me, maar als een pooier van zijn hoer.

Die dag wordt de grens van het draaglijke overschreden, en toch verdraag ik het.

'Als je naar de bioscoop gaat, krijg je niks meer als je terugkomt. Dan kun je janken en op je knieën smeken, je krijgt niks meer.'

'Is dat zo? Oké, val dan maar dood. Mij zie je niet meer terug.'

'Dat zullen we nog wel eens zien. Over twee uur kom je met hangende pootjes terug.'

'Je kent me niet. Dat had je niet moeten zeggen, zoek het maar uit verder!'

En met die woorden tijg ik naar de bioscoop. Ik shot een uur voor aanvang van de film en tegen het eind van de film nog een keer. Drie uur later snak ik alweer naar een shot, maar mijn besluit staat vast, ik ga niet terug naar die schoft.

Als de bioscoop uitgaat, laat ik mijn zus alleen naar huis gaan. Ik heb een probleem dat schreeuwt om een oplossing. Ik weet dat ik ziek ga worden van de ontwenningsverschijnselen, maar de pijn die daar werkelijk mee gepaard gaat ken ik nog niet.

Ik zoek maar vind niets, en dan begint de ellende.

'Ik heb nu nog maar één allesverterende behoefte, wat doe ik eraan?' is de vraag die ik mezelf stel.

Wat ik eraan moet doen is een breekijzer lenen om een kraak te kunnen zetten. Ik ren naar een kameraad en die leent me er een. Elke junk heeft nu eenmaal een breekijzer...

Ik loop het eerste de beste gebouw binnen en zoek een geschikte deur, één waar ik de eigenaar eventueel hoor naderen en nog makkelijk weg kan komen. Ik pak de lift naar de zesde en zet de liftdeur vast; zo hoor ik mensen tenminste de trap opkomen en kan ik wegkomen via de lift.

Ik zet het breekijzer in het kozijn en de deur gaat met verbazingwekkend gemak open, bijna geluidloos. Ik sluip naar binnen, doorzoek de ruimte, maar vind niets van waarde behalve een prachtige klarinet. Die moet toch wat opleveren, denk ik bij mezelf, zeker genoeg voor één shot. Ik zoek nog iets verder, ga een andere kamer binnen en sta in een slaapkamer, met iemand in bed, die de slaap der rechtvaardigen slaapt. Ik schrik me wezenloos!

Ik sluip op mijn tenen achteruit, trek de deur zachtjes dicht, stap in de lift en vlucht het gebouw uit. Met de klarinet, die ik ga verpatsen. De prijs die ze noemen is ongeveer een honderdste van de werkelijke waarde, maar het kan me niets schelen, ik heb genoeg voor een shot. Toch moet ik meteen weer op pad voor de volgende shot. Nu ben ik echt verslaafd.

Ik gebruik steeds meer heroïne en heb dus ook elke dag meer geld nodig. Ik ben alleen nog maar bezig met overleven en heb het stadium van de kleine deals ver achter me gelaten. Ik kan het me niet meer permitteren een paar 'bolletjes' te scoren voor een dag of twee feesten, om daarna gelaten de pijn van de afkick te dragen. Flash, crash en de pijn van de afkick korte tijd later.

En dan keert de paniek ook terug.

Je moet onmiddellijk op pad voor je volgende shot, terwijl je bloed nog met heroïne is verzadigd. Het ergste is dat het niet lukt voordat de heroïne is uitgewerkt en je weet dat de lat van de afkick veel te hoog ligt. In Nice heb ik geleerd hoe dat proces werkt. Je voelt de flash, maar weet dat de crash eraan komt. Je bent in gedachten alweer bezig met de vraag hoe en waar je aan de volgende shot kunt komen. Het gevoel van vertwijfeling dat me aan de heroïne bracht, wordt door de heroïne niet meer verzacht. Ik heb geen tijd meer om op adem te komen, stoned te zijn, tenzij ik op een berg gratis heroïne stuit, zoals in het begin, met mijn schoft.

Over het algemeen betalen helers met een symbolisch bolletje. Ze weten dat het ons niet zozeer om het geld te doen is, maar om de dope.

De helers verdienen er goed aan. Het maakt niet uit wat het is, sieraden, leer, je verpatst het meteen, want je moet heroïne hebben. De radertjes van het systeem grijpen naadloos in elkaar, je bent voortdurend op jacht, je raakt onontkoombaar in de criminaliteit verzeild. Of in de prostitutie, maar daar verzet ik me uit alle macht tegen.

Ik heb spijt dat ik die klarinet heb gepikt. Ik schaam me, want ik besef drommels goed dat het de hobby van die slapende man is geweest, of misschien verdiende hij zijn geld er wel mee. Misschien was het wel een erfstuk, een herinnering aan een gestorven dierbare, en kan hij het instrument nooit vervangen, ook al heeft hij genoeg geld om een honderd keer mooiere te kopen. Op het moment dat ik die klarinet oppakte, schoot dat al door mijn hoofd, maar daar moet ik nu vooral niet bij stilstaan. Ik weet wat ik doe, maar ik heb geen keus. Ik ben een dievegge geworden, ik jat, gap, pik en klauw, dag en nacht.

Een spuitekster en een klauwekster, de een kan niet zonder de ander, of je moet miljardair zijn. Ik heb alles gedaan, tassen, op stations en vliegvelden, voortdurend op de loer, tot mijn nietsvermoedende slachtoffer een sigaret opstak, een krant ging kopen of de tas op de grond zette. Als ik contant geld vond, had ik een goede dag, dan had ik tijd over. Met pasjes moest je opschieten. Dat werkte in die tijd anders dan tegenwoordig, veel te makkelijk, want het pasje werd door een apparaat gehaald en dan hoefde je alleen nog maar een handtekening te zetten. Je moest alleen zorgen dan je zo veel mogelijk had ingeslagen voor de kaart werd geblokkeerd. Spullen die je eenvoudig kon doorverkopen als leren jassen, stereo's, autoradio's...

Maar ik heb nooit tassen bij mensen uit de handen gerukt, en ben nooit de prostitutie in gegaan.

Hotels waren ook een goede bron van inkomsten. De receptionist in een middenklassehotel is vaak manusje-van-alles. Hij komt en gaat, begeleidt mensen naar hun kamer, dus je wacht tot hij zijn post heeft verlaten, glipt naar binnen en grist de sleutels van het bord. Vooral sleutels waar post of een notitie bij ligt. Dan weet je dat de kamer bezet is en de gast afwezig. Je vindt daar videocamera's, fototoestellen, paspoorten, rijbewijzen, van alles wat je goed kunt verkopen. Als de receptionist weer op zijn plek zit als je naar beneden komt en je vragen stelt, zeg je gewoon: 'Ik dacht dat mijn vriend op zijn kamer was' en maak je dat je wegkomt voordat hij tijd heeft gehad het sleutelbord te controleren. Als hij nog niet terug is, hang je de sleutels terug.

Ik leef nog met de nasleep van het zelfmoordbestaan dat ik van mijn vijftiende tot mijn achttiende leidde. Mijn geheugen is een gatenkaas en ik heb moeite gebeurtenissen in de juiste chronologische volgorde te plaatsen. Soms vraag ik me af waar ik was, wanneer en met wie. Dat is een van de negatieve kanten, een van de vele, maar aan de andere kant heb ik er een bijna aan naïviteit grenzende eerlijkheid en integriteit aan overgehouden. Ik leen nooit geld, en als ik een keer twintig eurocent tekort kom om iets te kopen en ze geven me krediet, ga ik meteen terug om die twintig cent terug te betalen. Ik wil dat mensen me vertrouwen, dat is een overlevingsstrategie geworden. Tegenwoordig kan ik niemands vertrouwen meer beschamen, want het vertrouwen van die ander is een erezaak voor me geworden.

In die tijd gedroeg ik me als de eerste de beste junkie, maar voor verslaafden is dergelijk gedrag van levensbelang. Tegenwoordig voel ik dat lijden niet meer. Ik heb geen honger, lijd geen kou, en dus kan ik oneerlijkheid of onbetamelijkheid van mijn kant, ook al is het maar verbaal, op geen enkele manier goedpraten.

Ik heb te veel geleden onder dat gevoel van *no limits*, die toestand van verwarde lichtzinnigheid waarin ik schandelijke dingen deed, terwijl ik diep van binnen vond dat ik de kracht had moeten hebben ze te laten.

Een verslaafde is niet per definitie een slappe figuur. Ik was het in ieder geval van nature niet. Ik was strijdlustig, sportief, aanvankelijk een goede leerling, niet dom en ik toonde karakter. Wat dat betreft was ik niet voorbestemd voor de drugs. Ik was geen Petit Philippe, die in alle opzichten voorbeschikt leek voor de goot. En toch ben ook ik diep gezonken, zo diep dat ik mezelf voor een zwakkeling hield. Als ik iemand op tv of ergens anders hoorde zeggen dat hij afgekickt was, zei ik tegen mezelf: 'Maar hij is sterk, ik niet, ik zal die weg naar boven nooit vinden.'

Een vergissing. Je raakt niet aan de drugs of kickt er niet vanaf omdat je zwak bent, of juist sterk, maar omdat je allebei tegelijk bent. Vanaf het moment dat je dat inzicht toelaat, glijden angst, pijn en verdriet langzaam maar zeker van je af. Je leert jezelf te accepteren zoals je bent en ontwaart het levensvuur dat in ieder van ons brandt of smeult, waarin je aanvankelijk nooit durfde te geloven, maar dat je dan vol vertrouwen opstookt.

Maar tot dat heldere inzicht daagt, ren ik de dood nog tegemoet. Ik ga niet meer terug naar de pooier die een heroïnehoertje van me wil maken. Ik weet dat hij naar me uitkijkt, want hij schuimt de straten rond de Louis XVI af, dus die buurt mijd ik nu. Ik ga ook niet meer naar school. Ik leef in een heel andere, totaal vergane wereld.

Ik breek nog steeds in, steel tassen en ga om met louche types.

Wanneer het was? Ik weet het niet meer. In ieder geval zit ik in de auto van een dealer, Sab en ik op de achterbank, hij achter het stuur. Een soort ouwe rocker, zelf geen gebruiker, dat zijn de ergste. Een echte smeerlap. Zo een die weet wat hij doet, en die dat alleen doet om er rijk van te worden, die er geen been in ziet een vijftienjarige heroïne te verkopen en niets dan minachting voelt voor de mensen die hij uitbuit. Grossier in dood en verderf. Op de stoel naast hem zit een onbekende.

We willen een deal sluiten en hebben ons daarom opgesloten in zijn auto. Zodra hij de politie ziet, ontdoet de dealer zich van zijn hele handel. Hij draait zich vliegensvlug om en laat zonder erbij na te denken een aspirinebuisje tjokvol verkoopklare porties heroïne voor mijn voeten op de vloer van de auto vallen. En misschien is de politie er helemaal niet om hem te arresteren, maar gaat het om een eenvoudige controle. Of ik ben naïef en hij is verlinkt en verlinkt nu ons.

'Mij moet je niet hebben, mij moet je niet hebben, moet je hun armen zien, kijk naar de mijne, ik gebruik niet. Het zijn junkies, ik heb ze net opgepikt op straat, ik ken ze niet. Als je heroïne vindt is het van hen, niet van mij!'

Ze nemen ons mee naar het bureau.

'Het is niet van ons, maar van die dealer. Die heeft het naar achteren voor mijn voeten gegooid. Als we zoveel heroïne hadden, zaten we hier niet te zweten en te beven. We hebben geen cent te makken, we moesten scoren, daarom zaten we bij die vent in de auto.'

Vergeleken met de roestbakken waar we meestal in zaten, heeft deze dealer een nette auto. Het is duidelijk een bekende van de politie, want terwijl wij al vrij snel weer op straat staan, houden ze die twee nog vast.

Het is een gevaarlijke gek, dat weten we. Sab heeft al een keer een pak slaag van hem gehad en volgens mij heeft hij een paar jaar gezeten. Hoe dan ook, de politie heeft geen belangstelling voor ons, twee armzalige, minderjarige junkies, asgrauw en uitgeteerd, overduidelijk toe aan een shot.

En dus staan we weer op straat, zonder deal en zonder dope. We kunnen weer opnieuw beginnen.

Soms moet je met mensen omgaan die een grondige afkeer in je opwekken. Hij is zo iemand; in principe een betrouwbare bron van goede kwaliteit heroïne die altijd op tijd levert. Met een verslaafde dealer loop je het risico dat hij zijn afspraken niet nakomt – of hij heeft een overdosis genomen, of hij is bestolen. Hij kan het ook simpelweg zijn vergeten. Alles aan een deal is onzeker, of het gaat helemaal niet door, of hij komt veel later tot stand dan afgesproken, maar in beide gevallen worden de ontwenningsverschijnselen heviger. En als de nood echt hoog is, dwingen de klachten je soms je in het hol van de leeuw te begeven en genoegen te nemen met spul van slechte kwaliteit, dat net zo veel kost, maar waar meer risico's aan kleven. Deze dealer staat bekend om zijn stipte levering, maar ja, ook brooddealers lopen een keer tegen de lamp. Ik bedenk dat Sab en ik, nadat de politie ons eenmaal heeft laten gaan, op straat de eerste de beste dealer zullen aanklampen.

Over het algemeen is dat erg gevaarlijk. Je hebt geen tijd de kwaliteit te controleren en je kunt slachtoffer worden van roof, of erger. Je kunt beter via een bekende in het milieu proberen met een handelaar in contact te komen. Er zijn plekken, heuse heroïnesupermarkten, waarvan je weet dat niemand een vinger zal uitsteken als je een mes in je rug krijgt, of wordt verkracht. Ik ben er wel eens geweest, met de juiste contactpersoon, en niet de eerste de best ook. Ik wist wie me kon introduceren en wie me in mijn eentje, zonder begeleiding, terug zou laten komen.

Als in die tijd de nood aan de man kwam, spoot ik alles waar ik de hand op kon leggen. Ik gebruikte werkelijk van alles om mee te spuiten, van medicinale drankjes tot zelfs kraanwater, water uit de goot en zelfs een keer water uit een hurktoilet.

Daar zat ik dan, dieper kon ik niet zinken, een straatmeid te midden van het straatvuil, en ik zag het niet. Ik zag mezelf niet meer, ik zag iemand anders, een soort duistere dubbelganger die maar een doel voor ogen had: drugs gebruiken om geen last van zichzelf te hebben.

8

Als ik een jaar of zeventien ben, trek ik samen met Sab door Spanje, waarschijnlijk samen met haar vriend Doumé en Vince – Joost mag weten wat me destijds tot die stap heeft bewogen.

Ik ben nog minderjarig, mijn ouders weten van niks, dus ik pak de trein en reis volgens oud vertrouwd recept, met een *Verklaring vermissing reisdocument* met daarop een valse naam en leeftijd. We zitten krap bij kas en vertrekken in de hoop onderweg een goedkoop familiepensionnetje te vinden. Sab en ik spreken Spaans en het doel is Frankrijk te ontvluchten, zodat de politie me niet op het spoor kan komen.

Ik wil niet terug naar Nice en Vince wordt nauwlettend in de gaten gehouden door mijn vader, die na Nice zelfs een aanklacht tegen hem wilde indienen.

Doumé is er al, maar eenmaal in Spanje blijf ik al snel alleen over. Waar Sab is gebleven weet ik niet. En dus dwaal ik door de straten van Madrid in afwachting van een gouden ingeving. Op een feestje ontmoet ik een jongen, een man, hij is ouder dan ik, tussen de tweeëntwintig en vijfentwintig, en ik ben op slag verliefd. Het gevoel is wederzijds, we voelen allebei dat dit het begin is van iets moois, echte liefde, met tederheid en wederzijds vertrouwen, grapjes en veel innige momenten. Ik ben veel te jong met seks begonnen. Als je twaalf of dertien bent, is het niks, maar mijn latere ervaringen waren niet veel beter. Mijn allereerste liefde bracht tranen in mijn ogen, en hij is tot op heden de enige die daarin is geslaagd. Je eerste liefde vergeet je nooit.

Maar als je zeventien bent, is alles anders. Luís oefent een onweerstaanbare aantrekkingskracht op me uit, en ik snak naar liefde. Ik wil me beschermd voelen. We verlaten samen het feest en gaan naar zijn appartement om de avond op passende wijze af te sluiten. Het is een nette woning, geen goor verslaafdenhol. We roken een joint en nemen een lijntje. Omdat ik heroïne bij me heb, besluiten we af te sluiten met een *speed ball*, een shot heroïne vermengd met cocaïne.

Het is een geweldige avond en ik val dolgelukkig bij hem in slaap. Hij maakt me volgende ochtend wakker met een koninklijk ontbijt, met jus d'orange en brioches – zoveel toewijding ben ik helemaal niet gewend. Luís is geen ongezonde junk en gebruikt ook niet dagelijks, zoals ik, maar alleen bij speciale gelegenheden. Luís is vrij…

Ik wil bij hem blijven, voor altijd en eeuwig, niet meer van mijn plaats komen. Ik voel me goed bij hem, de warmte van zijn aanrakingen, zijn plannen voor de toekomst. Voor het eerst van mijn leven heb ik een man ontmoet die van mij houdt en van wie ik houd. Een man die met me verder wil.

'Binnenkort ga ik met een paar vrienden op een zeilboot een tocht rond de Middellandse Zee maken, we gaan helemaal naar Marokko. Ik neem je mee.'

Een droom. Zon, zee en liefde. Mijn enige probleem is heroïne, hoe kom ik daaraan. Ik kan niet zonder, hij wel, en ik vraag me af of hij dat beseft.

Ik weet niet meer hoe het bericht van mijn vader me heeft bereikt, want hij heeft mijn adres niet. Heb ik naar kantoor gebeld, om zoals gewoonlijk mijn moeder op haar gemak te stellen, en heb ik toen per ongeluk hem aan de lijn gekregen? Hoe dan ook, ik moet zo snel mogelijk naar huis: 'Je moeder heeft problemen met haar gezondheid. Het is ernstig, ze kan eraan sterven, en dat is jouw schuld.'

'Maak je geen zorgen,' stelt Luís me gerust, 'ga maar naar je moeder. Ik houd je op de hoogte. Zodra ik de vertrekdatum weet, haal ik je op in Parijs en reizen we samen naar Antibes om aan boord te gaan.'

Uit voorzorg geef ik hem niet het adres van mijn moeder, want ik wil niet dat ze weten wat ik van plan ben. Ik ben verliefd en wil de wijde wereld in trekken, kleuren, de hemel, vogels en volmaakte vrijheid ontdekken. En wie weet kom ik zo ook van de heroïne af.

'Hier heb je een adres in Parijs. Je schrijft dus, hè? Beloofd?'

Vol goede moed ga ik naar Frankrijk, Parijs, mijn moeder.

'Nee, je vader heeft je wat op de mouw gespeld, ik ben kerngezond. Ik zweer je dat ik niet heb geweten dat…'

Ik vind het walgelijk. Nog een leugen! Mijn moeder is helemaal niet ziek, ze was niet eens van het opzetje op de hoogte, en mijn vader en ik schelden elkaar de huid vol. In dergelijke situaties grijp ik nog meer naar drugs. Het komt me de keel uit, mijn eigen minderjarigheid, de onhandige trucs van mijn vader me terug te krijgen, de eindeloze reeks leugens.

Ik wacht op nieuws van Luís. Ik ga regelmatig bij het adres langs dat ik hem heb opgegeven, het is het adres van een pedagoog die ik heb leren kennen, vlak bij de Place de Stalingrad. Maar er komt niks. De tijd verstrijkt en ik pak de telefoon, maar er wordt niet opgenomen.

Het is voorbij, hij is me vergeten. Mijn hart is gebroken, want deze teleurstelling voert me terug naar de voet van de berg van liefde waarlangs ik uit mijn dal had willen klimmen. Ik ben niets, ik ben niks waard, op een vluchtig avontuurtje na willen mensen niets met me te maken hebben. Ik zet een dikke streep door onze liefde, maar wil toch weten hoe het met hem gaat. Vriendschap is ook wat waard. Na enige aarzeling besluit ik toch naar Spanje terug te keren. Het is de derde keer dat ik van huis wegloop.

Ik kom aan in Madrid, bel bij hem aan, maar het blijft stil. Oorverdovend stil.

Ik zwerf samen met een vriendelijke jongen platzak door de straten van Madrid op zoek naar heroïne. Een tijdje later keer ik terug naar Luís' appartement. Er wordt nog steeds niet opengedaan en als ik ook geen licht zie branden, schuif ik een briefje onder de deur door, zodat hij weet waar hij me kan bereiken.

Precies op dat moment loopt iemand het gebouw binnen.

'Ik ben op zoek naar Luís, weet u waar hij is?'

'Ik weet het niet, ik heb hem niet gezien. Maar waarom vraagt u het niet aan zijn moeder? Die woont hiernaast.'

Ik naar zijn moeder. Zij vertelt dat hij zoals gepland in Antibes aan boord is gegaan voor een zeiltocht met een stel vrienden en een zekere Hélène, op wie hij smoorverliefd was. Vier of vijf dagen eerder is hij op zee omgekomen. Het is vroeg in het najaar, een zware storm, hij is verdronken, ergens in de Middellandse Zee. De boot is omgeslagen. Zijn vriend had zich aan de romp vastgeklampt en had de ramp overleefd, maar zijn vrouw en Luís, die samen in een reddingsbootje waren gesprongen, hebben het leven gelaten.

Mijn Luís… Luís was balsem voor de ziel, liefde, respect. We bedreven de liefde, vol overgave en plezier. We hadden ook altijd zin, of helemaal niet, en dan proestten we het uit onder de lakens. Een paar gelukkige momenten, en nu is hij dood.

Ik heb niet gehuild toen ik geen bericht van hem kreeg. Ik heb een soort verlatingsfatalisme ontwikkeld, een automatisme: 'Hij is zonder me vertrokken, hij is me vergeten, ik ben niets waard.' Ooit zou hij weer voet aan land zetten en zouden we de draad weer kunnen oppakken. Maar hij is dood. Ik huil bittere tranen om zijn dood. Ik, die nooit huil.

Op dat moment weet ik nog niet wat er werkelijk is misgegaan met mijn ongelukkige liefde. Dat hoor ik later pas, als ik bijna negentien ben en het gevecht met mijn eigen hel al bijna heb gewonnen. Ik had een pedagoog ontmoet en zijn adres aan Luís gegeven.

'Hélène, ik moet je iets opbiechten. Op een dag ontving ik een brief uit Spanje. Een schip sierde de bovenkant van de brief, die was getiteld "jij en ik". Ik flipte, ik dacht dat je de benen had genomen en in Marokko of ergens anders een deal ging sluiten. Ik schrok en heb de brief aan Paquita gegeven.'

In die brief nodigde hij me uit naar vrienden in Parijs te komen, waar hij me zou ophalen. Omdat zijn vrienden me niet hadden gezien en ze geen ander adres van me hadden, is hij alleen vertrokken. Ik heb die brief, dat kostbare epistel met die boot en het opschrift 'Jij en ik' nooit gehad, ook later niet. Paquita heeft hem weggegooid, om dezelfde reden, uit vrees dat ik in een dodelijke spiraal zou terechtkomen.

Liefdesgeschiedenissen hebben altijd een slecht einde

De straten van Madrid in de herfst, zwerftochten met een Spaanse vriend, kraakpanden. We spuiten alles wat we kunnen vinden. Luís is dood, dat is alles wat ik weet, aan mijn glijvlucht naar de hel lijkt maar geen einde te komen.

We verruilen Madrid voor Barcelona – we hebben iemand opgelicht, ik weet niet meer hoe, en we kunnen beter even van het toneel verdwijnen. We hebben nog net genoeg voor een overnachting in een schamel pension in een of andere gribus en willen verder liften. In de berm van de snelweg probeer ik vrachtwagenchauffeurs ertoe te verleiden te stoppen; een meisje met de duim omhoog werkt nu eenmaal beter dan een jongen. De chauffeur die voor me stopt, is onaangenaam verrast als mijn kameraad ineens opduikt, maar omdat de jongen die inmiddels achter me staat niet al te brede schouders heeft, neemt de chauffeur ons toch mee.

Hij ziet er niet onsympathiek uit, niet erg slim ook, maar dat kan ons niet schelen, zolang hij ons maar op onze bestemming afzet. Als we Barcelona binnenrijden, slaat de chauffeur af naar een industrieterrein. Hij zal wel iets te lossen hebben, papieren in te vullen hebben, denk ik nog, maar hij zet de wagen midden op het verlaten industrieterrein stil.

'Oké, iedereen eruit. Je gaat betalen, hop, eruit! En jij, uit de kleren!'

'Pardon? Ben je wel goed bij je hoofd?'

'Geen sprake van,' zegt mijn kameraad dapper en krijgt de vuist van de chauffeur vol in zijn gezicht.

'Hop, uit de kleren, en snel een beetje, ik wil neuken, maar eerst pijpen,' gaat de chauffeur verder, zonder mijn vriend nog een blik waardig te gunnen.

Ik heb geen idee hoe ik me hieruit moet redden. Ik hoef niet op mijn kameraad te rekenen, want die wordt doodgeslagen. Hij is er toch al niet te best aan toe. En de chauffeur heeft er zin in, dat is duidelijk.

Ik besluit het spelletje mee te spelen: 'Oké, eigenlijk heb je wel gelijk, dat ben ik je wel schuldig, tenslotte heb je ons helemaal mee hierheen genomen.'

Ik speel mee om van deze gek af te komen. Ik heb een mes bij me. Ik heb altijd een mes bij me, niet echt het formaat wapen, maar wel handig als je in de shit zit. Het probleem is alleen dat ik het uit mijn zak moet halen zonder dat hij het ziet.

'Kom, we gaan. Nee wacht, we zoeken de warmte op, het is steenkoud hier buiten. Kom, we klimmen achter in je cabine,' zeg ik en druk hem het mes op de keel. Niet hard, maar hard genoeg voor een druppel bloed. 'Stop! Geen meter verder of ik snijd je strot af!'

Hij is zo slim doodstil te blijven staan.

'Sta op, kom! Schiet op!' brul ik tegen mijn kameraad, die nog steeds uitgeteld op straat ligt.

Het is midden in de nacht en we staan op een verlaten industrieterrein. De benen nemen zonder hem eerst de keel af te snijden is natuurlijk een risico. We moeten van dat industrieterrein af en hij heeft ons met zijn wagen in twee minuten weer ingehaald. Maar de man staat letterlijk doodsangsten uit, zo met dat mes op zijn keel. Hij smeekt om zijn leven, want hij heeft wel gezien dat ik door het dolle heen ben en dat ik bij de minste of geringste beweging steek. Ik zie de angst in zijn ogen, en zie ook dat dit zielige hoopje man, zo opgewonden als hij een paar seconden geleden nog was, nu alleen nog maar hoopt het er levend vanaf te brengen.

Gelukkig voor hem, en voor ons. Ik trek het mes snel weg en wij rennen als dolle honden de donkere nacht in. De man blijft stokstijf staan.

We rennen alsof ons leven ervan afhangt. We sprinten het industrieterrein af en duiken in een greppel aan de kant van de weg. In de wijde omtrek is niets te zien, geen huis, geen heuvel, niets dan vlakte en nacht, en het is bitter koud in de greppel. Het is begin winter, er staat een ijzige wind en we hebben nauwelijks kleren bij ons. Als je naar een andere stad trekt, sjouw je hooguit twee stel kleren mee, één stel heb je aan, de verschoning was je zodra de gelegenheid zich voordoet. Als je heroïne in je lijf hebt, heb je het niet koud.

Daar staat tegenover dat je zonder heroïne tot op je botten verkleumd raakt, zelfs in de warmte. In die vochtige greppel zijn onze handen en voeten al helemaal gevoelloos geworden, en bij elke ademtocht bijt de vrieskou zich verder vast in onze keel. We proberen zo min mogelijk adem te halen. En we wachten tot we de chauffeur eindelijk zien vertrekken. Voordat de vrachtwagen aan de horizon is verdwenen, komen wij niet uit onze schuilplaats tevoorschijn.

Naast me hoor ik de bibberende fluisterstem van mijn verkleumde vriend: 'Shit, wat is het koud man, ijzig, dat had weinig gescheeld! Wat voert die klootzak nou uit? Waarom rijdt hij niet weg? En als hij daar nou blijft slapen? Wat doen we dan? Wachten tot het licht wordt? En als we nu gewoon eens verder gingen?'

'Dat risico neem ik niet.'

'Nee, maar dan vinden ze onze bevroren lijken morgen.'

We hebben geen horloge en geen idee hoe laat het is. Wie heroïne gebruikt, leeft voor het moment. Kleine gebeurtenissen rijgen zich aaneen zonder dat je je achteraf kun herinneren hoe. De tijd wordt afgemeten in flashes en crashes.

Na een half uur, misschien ook drie kwartier, horen we de motor starten. Het duurde natuurlijk even voordat hij van de schrik was bekomen. Hij draait de weg op en we kunnen eindelijk als verkleumde ratten uit onze greppel kruipen.

We lopen de nacht weer in, halfdood van honger en kou, om uiteindelijk weer bij een andere chauffeur in de vrachtwagen te kruipen. Deze zet ons netjes in Barcelona af. We nemen onze intrek in een verkrot pension. Mijn junkie-vriend, wiens voornaam ik niet eens meer weet, is niet meer in staat wat dan ook maar van wie dan ook maar te stelen. Ik ook niet trouwens. En we moeten hoognodig shotten. Ik heb nog een paar bedeltjes aan kettinkjes om mijn hals en pols en geef die aan hem met de opdracht ze ergens te ver-patsen en met heroïne terug te komen. Hij gaat op pad en ik wacht tot de avond valt. Dat hij me belazert, komt geen mo-ment bij me op. In het ergste geval heeft hij net genoeg ge-kregen voor één shot en zint hij nu op een oplossing, of hij heeft een bad trip, of hij is bestolen... Ik maak me zorgen om hem.

De avond verstrijkt, maar hij komt niet. Ik heb geen geld voor eten en ook geen heroïne. Dit soort kamers moet je al-tijd van tevoren betalen, maar als hij er morgenochtend niet is, zal ik een extra overnachting moeten betalen.

Maar ook de volgende ochtend komt hij niet opdagen, en de eigenaar komt om het geld van de overnachting vragen.

'Mijn vriend is net weggegaan en hij heeft ons geld bij zich, maar hij is zo terug...'

'Dat interesseert me niet, als hij er om twee uur niet is, moet je de kamer uit.'

En om twee uur sta ik dus op straat, met een tas met onze spullen, wat kleren en een paar schoenen. Hij is echt ver-dwenen, anders had hij nooit die paar spullen in de tas laten zitten. Hij had wel een manier gevonden om de kamer binnen te glippen en zijn spullen te pakken. Ik laat een berichtje voor hem achter bij het pension, voor het geval hij toch nog opduikt. Ik geef als ontmoetingspunt het station van Barcelona op. Daar laat ik de tas achter. Niet alleen is het ding te zwaar, maar ik ben bang beroofd te worden. Iemand die met zo'n tas rondzeult is een zwerver en daarmee een makkelijke prooi. En als je op zoek bent naar een deal, kun je er ook beter niet als een zwerver uitzien. Bovendien kan ik me zonder dat zware ding in geval van nood sneller uit de voeten maken.

Je rekent pas af als je de bagage weer ophaalt, hoe langer je je spullen in bewaring geeft, des te meer je betaalt. Het is een Spaanse eigenaardigheid, een beetje ouderwets: geen kluisjes, maar een balie met een mannetje erachter. Hij hangt er een etiketje aan en ik reis ineens een stuk lichter. Het bonnetje met het nummer stop ik diep weg in mijn zak. Ik ga op zoek naar mijn vriend, misschien vind ik hem in het voetgangersgebied, ergens waar drugs, waar heroïne wordt verkocht. Ik leg kilometers af door de stad.

Aan het eind van de dag laat ik me doodmoe op een bankje neervallen. Ik ben de wanhoop nabij, want ik heb hem niet kunnen vinden. Ik heb geen geld om de tas en mijn kleren voor vannacht terug te halen. Wat nu? Spullen om in te breken heb ik ook niet… Ik loer naar makkelijk te stelen handtasjes. Niks. Daar zit ik dan, uitgeteld op een bankje, de avond valt, ik heb een lege maag, geen geld, geen kleren en geen idee wat ik moet doen. En op het bankje tegenover me rollen twee figuren een joint. Ze stappen op me af en geven spontaan de joint door. Ik neem een trek, het voelt goed.

Ook al ken je elkaar niet en zie je elkaar nooit weer, in de wereld van de joint maak je deel uit van de grote familie van rokers en deel je wat je hebt; het ding heet niet voor niets een joint. We roken de joint samen op en praten wat, het zijn aardige jongens, ze zien er beschaafd uit. Toch ben ik op mijn hoede. Ze gaan naar een feestje bij een vriendin en nodigen me uit. Het wordt een leuke avond, gezellig. Er is van alles wat, voor zover het drugs betreft, maar ik waak ervoor te laten merken dat ik uit de huiveringwekkende wereld van de heroïne kom. Ik hoef de nacht tenminste niet op straat door te brengen. De volgende dag keer ik terug naar het station om te proberen zonder bonnetje mijn tas terug te krijgen.

'Als je niet betaalt, kan ik je tas niet teruggeven. Waar is je nummertje?'

'Dat ben ik kwijtgeraakt.'

'Ik heb ook geen enkel bewijs dat die tas van jou is.'

'O, maar dat is heel eenvoudig, hoor. Mijn paspoort zit erin, dan kun je zien dat ik het ben, en ik laat het paspoort bij je achter, als een soort borg, of ik geef je mijn kleren bij wijze van betaling.'

'Nee. Als je je tas terug wilt, zit er maar een ding op, een nummertje, als je begrijpt wat ik bedoel, daarachter.'

Niet alweer hè… Altijd hetzelfde liedje. Je wilt dat? Eerst een nummertje.

'Weinig kans. Daar begin ik niet aan voor die rottas met die paar armzalige spullen, daar laat ik me niet voor naaien, dat is het ding me niet waard.'

'Tja, geen nummertje, geen tas, het is niet anders.'

Het is een vies vet varken van een vent, en lelijk bovendien. Nee, nee, nee en nog eens nee. Hij probeert me achter zijn balie te krijgen, maar ik verzet me uit alle macht en maak dat ik wegkom.

Geen papieren, geen kleren, geen stuiver op zak, hoe krijg ik mijn spullen los van die eikel? En dan loopt er een man langs, netjes in het pak, op en top een zakenman. Een echte Spanjaard, opgeruimde glimlach, ongecompliceerd.

'*Hola, qué tal?*'

'Erger dan vandaag kan niet.'

Hij stopt. Ik leg uit dat ik Française ben, dat ik mijn tas heb afgegeven, maar dat ze mijn portefeuille hebben gerold, dat de vent achter de balie doet alsof hij het niet begrijpt en heeft geprobeerd me te, nou ja…'

'We gaan samen naar hem toe.'

Hij geeft het vette varken zijn geld, dreigt met de Guardia Civil en ik krijg mijn tas. Ik bedank mijn redder in nood, die me uitnodigt bij hem in de lobby van het hotel een kop koffie te drinken.

Het is een goed hotel. Het doet me goed, ze brengen me een kop koffie en churros. Ik heb honger als een paard, dat is duidelijk. Hij vraagt of hij me nog ergens mee kan helpen.

'Nee, dank u, ik pak de trein en ga terug naar Frankrijk.'

In dergelijke omstandigheden nooit laten merken dat je wanhopig bent, want dan ben je alleen maar nog kwetsbaarder.

Hij bestudeert de vertrektijden: 'Je hebt nog even de tijd, en ik kan echt niks meer voor je doen?'

En ik, ezel die ik ben, geef toe dat ik me graag zou douchen en omkleden. Ik ben nogal zomers gekleed: een jack, een spijkerbroek, gympies en een T-shirt. Hij heeft zijn kleding wel aangepast aan het seizoen: overhemd, trui, colbertje, overjas.

'Als ik je met alleen een douche al gelukkig kan maken, dan heb je hier de sleutel van mijn kamer. Ga je maar lekker douchen. Ik moet nog van alles regelen en over vijf minuten heb ik hier een afspraak. Kom de sleutel later maar terugbrengen.'

Ik hoef niet bang te zijn, hij heeft dadelijk een afspraak. Ik haal opgelucht adem, eindelijk rust in deze wereld van beesten, bruten en botteriken. Ik kleed me uit en laat het bad vollopen. Heerlijk, een bad, ik begin spontaan *No woman, no cry* van Bob Marley te zingen.

Dan hoor ik de deur van de kamer opengaan.

'Gaat het? Heb je nog iets nodig?'

Gelukkig is de deur van de badkamer dicht, maar ik heb hem niet op slot gedraaid. Ik neem snel een douche, dan maar geen bad. Maar ik heb mijn tas en mijn kleren in de kamer gelegd. Ik sla de handdoek om me heen en loop de kamer in om me weer aan te kleden. Hij doet zijn kleren net uit.

'Ik neem even een douche, wacht je daar even?'

Ik ben zeker zijn afspraak.

'Oké.'

In een oogwenk heb ik zijn portefeuille gezien. Ik gris er een paar bankbiljetten uit, stop ze diep weg en haast me met aankleden. Maar nog voordat ik klaar ben, staat hij alweer in de kamer. Poedelnaakt.

'Kom, we gaan er even lekker bij liggen. Een siësta zal je goed doen.'

Ik probeer me verder aan te kleden, tevergeefs.

'Kom, je trein gaat voorlopig toch niet, dan nestelen we ons gezellig op bed…'

Dit keer niet het gebruikelijke grove geweld, nee, deze opent onderhandelingen.

'Het is tijd dat ik ga, ik moet nu echt weg.'

Hij komt dichterbij en houdt mijn hand vast als ik net mijn rits wil dichttrekken. Ik ruk me los en grijp mijn T-shirt, maar hij trekt het uit mijn handen.

Toch een handgemeen. Een heuse worsteling. Geweld van zijn en mijn kant. Een ordinaire vechtpartij, maar een man verwacht van een meisje niet dat ze zelf ook geweld gebruikt. Geweld accepteer ik niet, en seksueel geweld al helemaal niet. Ik slaap met wie ik wil, wanneer ik wil. Bovendien heb ik de laatste dagen mijn portie wel gehad, ik verdraag die begeerte niet langer. Die woede, de ontwenningsverschijnselen en de vernedering voor hoer te worden versleten veranderen me in een furie.

Op een gegeven moment krijg ik de overhand. Ik smijt hem met alle kracht die ik in me heb van me af, hij tuimelt tegen het nachttafeltje en blijft versuft liggen.

Dan gaat het ineens erg snel. Ik ren halfnaakt de kamer uit en probeer ondertussen het jack over mijn dansende borsten te trekken, mijn broek dicht te ritsen en de knop voor de lift in te drukken. Hij was knock-out, maar voor hoe lang? Misschien komt hij over een paar tellen wel weer achter me aan, misschien ook nooit meer. Ik zit ergens op de zevende of achtste verdieping, maar dan gaan de liftdeuren eindelijk open. Op dat moment verschijnt hij weer in de deuropening, nog steeds naakt. Hij aarzelt lang genoeg om mij de gelegenheid te geven de lift in te duiken, en de deuren gaan dicht voor hij de kans heeft me eruit te trekken. Vreemd genoeg dringt het niet tot me door dat hij zich eerst moet aankleden, voor hij achter me aan kan komen. Ik ben als de dood dat hij de trappen af vliegt en me in de lobby te pakken krijgt. Maar eenmaal beneden, kom ik weer tot mezelf. Ik moet rustig door de lobby lopen en even rustig het hotel uit gaan. Ik besef dat ik weinig tijd heb. Hij kan iets aanschieten en binnen twee of drie minuten voor mijn neus staan. Ik moet me ergens verstoppen, op een plek waar ik hem het hotel uit kan zien komen.

Ik ren niet het plein voor het hotel over, wat hij zal doen in de hoop me nog te pakken te krijgen, maar kruip weg in een kleine nis vlak bij de ingang. Even later zie ik hem inderdaad in vliegende vaart het plein oversteken. Ik wacht tot hij uit het zicht is verdwenen en maak dan zelf dat ik wegkom.

Ik heb genoeg geld gejat om een treinkaartje naar Frankrijk te kunnen kopen, maar de eerstvolgende trein vertrekt de volgende ochtend vroeg pas. En dus keer ik terug naar mijn vrienden van de avond ervoor, om daar de nacht door te brengen. Ik blijf wakker uit angst dat ik de trein mis.

In alle vroegte sluip ik het huis uit. Iedereen slaapt nog, dus ik laat een kort bedankbriefje achter. Als de trein de grens passeert, haal ik opgelucht adem. Als er nu iets gebeurt, kan ik de politie tenminste bellen. De trein gaat naar Nice, mijn eindbestemming; zover reikt mijn kaartje niet, maar dat doet er niet meer toe.

Ik kom zonder problemen in Nice en loop de kraakpanden af op zoek naar oude bekenden. Ik kom er geen tegen. Ik houd mijn hand op tot ik genoeg muntjes heb voor een telefoontje naar Vince' moeder. Ze meldt droogjes dat ze niet weet waar Vince is.

Tegen het vallen van de avond probeer ik het nog eens.

Vince is nog steeds niet thuis en zij weet ook niet waar hij is of wat hij doet. Ze weet dat we allebei heroïne gebruiken en ziet me waarschijnlijk liever gaan dan komen.

'Heb je een adres om de nacht door te brengen?'

'Nee.'

Ze komt me halen, bepaald niet van harte, met tegenzin eigenlijk, maar ze biedt me niettemin een bed aan voor de komende nacht. In Nice zou ik anders in een of ander kraakpand zijn terechtgekomen, want slapen op het station is een uitnodiging om door de politie te worden opgepakt, zeker als je zoals ik van huis bent weggelopen. En het eerste dat zo'n diender zegt, is: 'Laat me je armen eens zien... Juist, meekomen.'

De volgende ochtend, bij een groot glas dampende melk, begint het verhoor.

'Heb je geld?'

'Nee.'

'Kun je ergens terecht?'

'Nee.'

'Hélène, je bent nog minderjarig, ik kan je onmogelijk zonder toestemming van je ouders hier houden. En wat Vince betreft, ik heb geen flauw idee wanneer hij weer terugkomt. Wil je naar huis?'

'Nee. Maar ik moet wel een oplossing bedenken.'

'Goed, dan bel ik je moeder.'

'Ze is hier en wil niet terug naar Parijs. Ze mag hier gerust nog een tijdje blijven, tot ze er weer een beetje bovenop is, maar dan moet ze wel aan het werk. Een vriendin van me zoekt een au pair en wil haar misschien wel onderdak bieden.'

Ondanks haar ontgoocheling, haar eigen verdriet, ondanks het feit dat ze de hoop heeft opgegeven haar eigen zoon te laten afkicken, vindt ze toch de kracht mij te helpen. Ze ziet dat ik aan het eind van mijn Latijn ben. Om door het gezin dat ze in gedachten heeft in huis genomen te worden, moet ik aan één enkele voorwaarde voldoen: geen heroïne meer! En dus helpt de moeder van Vince me met afkicken en mag ik die eerste moeilijke dagen bij haar blijven.

Ik vind het prima. Vince en ik zijn niet meer samen, maar we blijven door alles wat we hebben meegemaakt vrienden voor het leven. De breuk was erg moeilijk voor hem, en zijn moeder weet dat. Maar ondanks alles neemt ze me mee naar dezelfde arts die Vince onder behandeling heeft gehad en die ondersteunende medicijnen voorschrijft. In mijn herinnering houdt ze me drie of vier dagen bij haar in huis en legt ze mijn ouders uit dat het geen zin heeft en bovendien riskant is me naar Parijs te sturen, omdat ik dan toch maar één ding zou willen: opnieuw de benen nemen.

En dus word ik au pair. Ik beland bij een volstrekt normaal gezin en krijg de verantwoordelijkheid over een kind. Een zware opgave, ik vind het moeilijk vol te houden. Ik kijk

aandachtig naar de moeder en neem me voor goed te ont-
houden wat ze zegt. Ik heb geen enkele ervaring met huis-
houdelijk werk, tafel dekken, afruimen, de afwas doen... Ik
haal het kind – het is een jaar of vijf, zes – van school en ga er
een, twee, drie, vier keer mee naar het park, maar ik voel me
niet op mijn gemak tussen al die o zo normale jonge moeders en kleine kinderen daar. Ik val buiten de boot.

In Parijs wandelde ik graag over begraafplaatsen. Zo
zwierf ik vaak over Père-Lachaise, een eindeloze begraafplaats. Aan de rand van Nice bevindt zich de begraafplaats
van Cimiez, een schitterende plek, gelegen op een rots, met
een prachtig uitzicht over de Engelenbaai, baroktuinen, sinaasappelbomen en de mooiste beeldhouwwerken. Het is
er rustig, de vredigheid van de dood heerst er, de lucht is
zuiver, het licht overvloedig en er staan weelderige boeket-
ten bij de graven. Ik besluit het kleine meisje mee te nemen,
het is er veel mooier dan in het park. Dat vindt zij ook. Kinderen associëren die schoonheid nog niet met de dood. Ik
troon haar mee naar de sinaasappelbomen en laat haar de
bloemen zien die bezoekers bij de graven hebben achtergelaten. Ze heeft nog nooit een begraafplaats gezien en over-
stelpt me met vragen.

'Liggen daar mensen onder?'

'Ja, er liggen daar mensen, maar weet je, je gaat niet dood,
je leeft voort in de gedachten van mensen die van je hebben
gehouden. Je lichaam ligt daar, dat zie je niet meer, maar het

is wel nuttig, want het voedt de aarde en laat de sinaasappel-bomen zo mooi bloeien. Er is hier heel veel liefde. Kijk maar, ze schrijven allerlei aardige dingen over de mensen die hier liggen, om te laten zien dat ze van hen houden!'

De dood gehoorzaamt een bepaalde logica, het is een natuurverschijnsel. Niemand verdwijnt echt, je ziet het lichaam niet meer, want dat dient als voedsel voor de planten, maar de liefde blijft. Voor een kind is dat de normaalste zaak van de wereld.

Je ziet hier bloemen die je nergens anders ziet, en dus vraagt het meisje: 'O, wat een mooie bloemen, kan ik daar geen boeket voor mama van maken?'

'Goed. We maken een mooi boeket voor je moeder. Hij is toch dood. Dan hebben die bloemen tenminste nog nut voor de levenden.'

En we stellen een fraai boeket samen. We zijn er trots op en innig tevreden keren we met armen vol chrysanten en lelies terug naar huis.

'Waar hebben jullie die gevonden?'

'Op het kerkhof. De doden hebben er toch niks meer aan, zo gaat het leven tenminste door,' antwoordt het meisje goudeerlijk. Voor haar is het heel vanzelfsprekend.

Maar haar moeder is minder ingenomen met het cadeau. In haar ogen ben ik een 'grafrover'! Wat een voorbeeld voor haar kleine meid!

Ik heb evenveel respect voor de doden als andere mensen, maar in de gemoedstoestand waarin ik verkeerde, met dat meisje onder mijn hoede, wilde ik haar alleen uitleggen wat de dood inhield, zonder haar schrik aan te jagen. Ik wilde haar de serene rust en schoonheid van die plek laten beleven. Maar toch heb ik ook begrip voor de reactie van haar moeder: 'Hoe haalt die macabere au pair het in haar hoofd de doden van hun bloemen te beroven om er samen met mijn dochtertje een boeket van te maken?'

Het gevolg is in ieder geval dat we niet meer naar het kerkhof daarboven op de heuvel mogen. En ik moet plechtig beloven bloemen met rust te laten.

Maar het parkje met al die moeders met kinderen deprimeert me. Vlak voordat ik als au pair bij dit gezin kwam, had Vince' moeder bloed bij me af laten nemen om erachter te komen welke ziekte ik onder de leden had. Ik had gezegd dat ik misselijk was. Mijn toestand is weliswaar stabiel, maar ik ben altijd misselijk.

Op een gegeven moment vraagt ze of ik nog wel ongesteld word. Ik graaf in mijn geheugen en vertel haar dat het in Spanje moet zijn geweest, maar lang geleden. Misschien ben ik wel zwanger. Ik ga opnieuw bij de huisarts langs en blader in de wachtkamer zwaar gedeprimeerd door een krantje om mezelf op andere gedachten te brengen. Mijn oog valt er op een advertentie: AANGEBODEN: BOXER, KRUISING MET LABRADOR, TWEE MAANDEN, GEZOND.

Ik zou best weer een hond willen. Ik was dol op de hond

die ik als kind had, en een hond is ook een goede bescherming, misschien hoef ik dan niet meer een mes op zak te houden. Ja maar… Ik ben zwanger, dus ik kan hem niet houden.

'U bent inderdaad zwanger, sterker nog, u bent al vier maanden zwanger.'

Als ik bij de huisarts wegga, haal ik meteen de hond op. Als ik vervolgens met het beestje op de stoep sta bij mijn bazin, is ze niet blij: 'Het wordt steeds gekker. Die hond vind ik niet goed, die zul je moeten wegdoen. En ik wil ook een duidelijke verbetering zien, anders houden we je niet als au pair.'

Het meisje wil niet dat ik ga. Uiteraard rep ik met geen woord over mijn zwangerschap.

'Als mijn hond weg moet, ga ik ook weg!'

Ik heb al bijna een maand geen spuit gezet. Het kind is van Luís, maar het is verwekt onder invloed van heroïne. Als ik het kind geboren laat worden, komt het met ontwenningsverschijnselen ter wereld, en misschien zelfs met misvormingen.

Ik vertrek met de hond en ga naar Sylvie om haar om hulp te vragen. De zwangerschap moet worden onderbroken en die ingreep zal op kerstavond plaatsvinden. Mijn moeder is allang blij dat ik weer terug ben, al vraagt ze me verstandig te zijn.

'Wat wil je toch met die hond? We hebben er al een en die wordt er ook niet jonger op…'

'Ik zorg voor hem, ik laat hem niet bij jou achter. Integendeel, ik neem hem later weer mee, maar eerst die abortus'

Lichamelijk ben ik er slecht aan toe. Ik ben niet eens mager, want ik heb in Nice een maand lang genoeg te eten gekregen, tussen schone lakens geslapen en niet één keer heroïne gespoten. Maar ik ben zwanger en zie lijkbleek. Ik had het kind anders zeker gehouden, ook zonder vader, maar ik heb een ernstige leverkwaal en belangrijker nog, het kind is verwekt in een periode dat ik regelmatig heroïne gebruikte.

Na de abortus, met kerst, twee maanden voor mijn achttiende verjaardag, besef ik dat de heroïne me in zijn greep heeft, dat hij me de baas is, dat ik niet zonder kan, ondanks het feit dat hij me niets dan ellende bezorgt. 'Ik heb er genoeg van,' zeg ik steeds vaker tegen mezelf.

Maar ik heb mijn hond nog, Olive. En die moet te eten hebben. Ik haal geen eten voor mezelf, maar voor mijn hond. Ik ben weer bij mijn moeder ingetrokken, in mijn oude kamer op de overloop. Soms slaap ik bij Sab. Een nachtje hier, een nachtje daar, maar ik keer altijd terug op het nest, ze weten waar ik ben. Ik heb schoon genoeg van die drugshel en het voortdurende gevaar. Afkicken is me bijna fataal geworden en het heeft een haar gescheeld of ik had in de prostitutie gezeten, maar als ik op de oude voet doorga, kom ik daar op een kwade dag toch in terecht. Als Vince' moeder me in Nice niet had opgevangen, had ik me geprostitueerd om een dak boven mijn hoofd te hebben, zo koud en hongerig was ik. Ik had geen andere uitweg gezien. Dat ze me in huis nam, was mijn laatste kans op een normaal leven. Ik had de moed al opgegeven. Ik was in korte tijd zo vaak ternauwernood aan verkrachting ontsnapt, dat ik gelaten dacht: Een dezer dagen heb ik minder geluk, en als het dan toch moet, kan ik er net zo goed geld voor vragen.

Maar iets in mij weigerde dat laatste restje eigenwaarde op te geven. Kennelijk sluimerde ergens diep van binnen nog een klein beetje zelfrespect...

9

Ik word steeds zieker en sleep me van opname naar opname. In het ziekenhuis kom ik even op adem, maar zodra ik daaruit ben ontslagen, grijp ik weer naar de heroïne. De artsen worden niet moe te herhalen dat ik in een coma terechtkom als ik zo doorga, een coma waaruit ik niet meer zal ontwaken. Ik ga dood aan mijn lever en toch houd ik wanhopig vast aan de heroïne. Bij het zoveelste ontslag waarschuwen ze me: 'Denk erom, je gaat niet langzaam dood aan de heroïne, maar in één keer aan embolie!' Mijn bloed is inmiddels zo dik dat het bijna in mijn aderen is gestold.

Ik weet het. Ik kan niet eens meer gewoon spuiten en ben van minuscule insulinespuitjes overgestapt op grote van het formaat rioolbuis, die ontzettende gaten in mijn arm achterlaten. Ik kan prikken wat ik wil, links, rechts, naar voor, naar achter, het gaat slecht of helemaal niet, en het doet zeer als je voor niks spuit.

Het beeld staat me nog helder voor de geest. Ik zit onder een trap, met de spuit in mijn hand, mensen komen voorbij, en lopen boven me de trap op en af. Ik houd hardnekkig vol, mijn linkerarm is al een slagveld, dus ik probeer onhandig met links in mijn rechterarm nog een plekje te vinden, of op de wreef van mijn voet, een uitermate pijnlijke plek. Meestal prik ik mis, en als het een keer lukt is het alleen omdat ik het al tien tot vijftien keer heb geprobeerd die dag, steeds op dezelfde plek. Ik probeer het overal waar ik een ader kan vinden, verse prikwonden zitten naast oude littekens. Ik heb geen huid meer over om een spuit in te zetten. De ontwenningsverschijnselen nemen in hevigheid toe en ik martel mezelf in een poging toch een shot te zetten. Ik weet niet meer wat ik moet doen. Ik kom regelmatig bij Sylvie. Ze weet dat ik niet alleen verslaafd ben, maar in de criminaliteit verzeild ben geraakt, dat ik kraken zet en tasjes roof. Op een dag sleep ik me met mijn laatste krachten naar haar praktijk.

'We moeten iets doen. Ik moet stoppen. Laat me alsjeblieft opnemen.'

'Ja, maar je bent nog geen achttien, dus om je te laten opnemen heb ik een medische oorzaak nodig en de goedkeuring van je ouders.'

'Je kunt toch zeggen dat het voor mijn lever is, of wegens mijn depressie, als je ze de echte reden van de opname maar niet vertelt. Als je ook maar met één woord over de heroïne rept tegen mijn ouders, ben ik weg, voorgoed. Ik vind wel een manier om aan heroïne te komen, maar dan neem ik de dagelijkse dosis in één keer. Dan is het afgelopen, dan hoef ik ook niet meer te vechten. Ik kan niet meer.'

Mijn ouders zijn uitgenodigd voor een consult bij Sylvie, in mijn aanwezigheid, om mijn toestand te bespreken. Ik zet twee uur van tevoren een spuit en kom volledig uitgeput naar de afspraak.

Ik laat me met verkrampte kaken en een formidabele koppijn op een stoel zakken, in de hoop dat het probleem snel zal worden opgelost. Ik heb niets te zeggen, tegen niemand. Ik zit op een planeet van onnoembare pijn. Sylvie moet opschieten, want langer dan een kwartier houd ik het niet meer uit, dan zal ze me zonder dat mijn ouders erachter komen met kalmeringsmiddelen moeten volstoppen. Ze heeft me beloofd dat in een aparte praktijkruimte te doen, achter haar kantoor. Dat verdrijft de pijn weliswaar niet, maar het verdooft in ieder geval.

Mijn vader begrijpt er niets van: 'Maar waaróm moet ze worden opgenomen? Wat is er met haar aan de hand?'

En in plaats van dat het gewoon een vlot en zakelijk gesprek is van een half uur en ik meteen word opgenomen, duurt de bespreking anderhalf uur. Het is al meer dan drie uur geleden dat ik heb gespoten. Tot dan toe heb ik schijnbaar onaangedaan, bewegingloos in mijn stoel gezeten, maar dan krimp ik ineen, al mijn spieren verkrampen, een stekende pijn vlamt uit over mijn rug, mijn darmen verstarren, mijn benen zijn als verlamd. Het voelt alsof mijn spieren worden geraspt, alsof ik geen huid meer heb. Het zijn de ontwenningsverschijnselen. Ik krijg nauwelijks nog adem.

En al die tijd mijmert mijn vader over alle problemen.

'Maar hoe lang blijft ze dan ziek, zoals ze nu is? En wat is de oorzaak eigenlijk?'

Sylvie kan hem de waarheid niet vertellen en ze weet drommels goed dat ik haar vanuit mijn ooghoeken nauwlettend in de gaten houd. De pijn wordt steeds erger, ik krimp steeds verder in elkaar, maar ik verlies haar niet uit het oog. Als mijn vader het nu maar gewoon wilde begrijpen. Als mijn moeder haar ogen nu maar opendeed en wilde zien waarom ik altijd wegliep, waarom ik tegen elke prijs het huis uit wilde, dan was er al veel gewonnen.

Maar nee, in plaats daarvan wring ik me in bochten om hen te beschermen, de vreselijke waarheid voor hen verborgen te houden. Zoals gebruikelijk.

Ik ga niet meer naar school. Wat moet er van me terechtkomen? Mijn vaders obsessie. Mijn moeder is zich meer bewust van het gevaar dat ik loop, maar ze aarzelt om het onderwerp aan te roeren. Ze aarzelt altijd, beschermt, ondergaat, onderwerpt zich!

Na anderhalf uur op mijn stoel ben ik gebroken, mijn botten voelen als glas. Ik ken dat gevoel inmiddels goed, het hoort bij de ontwenning, het is alsof alles van binnen op het punt staat te exploderen, alsof mijn botten tot stof uit elkaar zullen spatten. En ze hebben nog steeds niet met een opname ingestemd.

Ik geef Sylvie een teken, ze pikt het op, maar kan niets anders doen dan antwoorden op hun vragen geven, en dat zonder de enige brug die me nog met de wereld van de levenden verbindt af te breken. Ze zitten naast me, maar richten zich alleen tot haar. Als ik in hun gezichtsveld zat, zouden ze zien dat ik op het punt sta te bezwijken. Het is overduidelijk.

Ik steek mijn duim op, het noodsignaal dat ik met Sylvie heb afgesproken. Ze staat meteen op.

'Neemt u me niet kwalijk...'

Ze begrijpen niet waarom ik gelijktijdig met Sylvie overeind kom.

'Wat heeft ze? Wat is er met je aan de hand?'

'Ik ben zo terug.'

Ik ben nog maar net uit het zicht of ik laat mezelf uitgeput langs de muur op de grond zakken.

'Ik kan niet meer, geef me iets, maakt niet uit wat, een shot... Nog vijf minuten en ik gil het uit van de pijn.'

Achter haar kantoor bevindt zich een kleine behandelruimte, waar ze me languit op een onderzoekstafel legt. De tafel is overtrokken met ijskoud skai, en mijn botten zíjn al bevroren. Ontwenning is een ware fysieke marteling. Het begint in je rug met een pijn die erger is dan bij een bevalling of nierstenen, vervolgens verkrampen je darmen zodanig dat je geen adem meer kunt halen en uiteindelijk, als afsluitend vuurwerk, spatten je gekristalliseerde botten uit elkaar. De eerste injectie met kalmeringsmiddelen stompt de pijn enigszins af, na de tweede voel ik niks meer. Ik blijf in elkaar gekronkeld liggen, als een hond die net is aangereden door een auto. Murw gebeukt op het skai van de onderzoekstafel. Daarna loopt ze weer terug naar mijn ouders. Mijn moeder vertelt me later dat Sylvie woedend was en dat ze haar en mijn vader beleefd doch indringend heeft 'uitgekafferd', en heeft ingepeperd dat ze zich moesten schamen nooit iets te hebben gezien. Hoe is het toch mogelijk dat ze niet begrepen wat er aan de hand was? Hoe is het toch mogelijk dat ze nog vragen als 'wat heeft ze' durfden te stellen?

Ze hebben het zwijgend geïncasseerd.

Ik kom in een psychiatrisch ziekenhuis terecht, in een Parijse voorstad, want Sylvie wil voorkomen dat ik in aanraking kom met andere verslaafden, uit vrees dat we elkaar dieper de put in zouden helpen. Mijn ouders en mijn zus zoeken me daar op.

'Waarom overkomt mij dit? Wat heb ik misdaan om dit te verdienen?' vraagt mijn vader zich af, knielend op de grond en met tranen in zijn ogen.

'Oké, fijn zo, maar ik zit hier om van de drugs af te komen, en daarvoor moet ik op jou kunnen steunen.' Met andere woorden, ik heb niets aan je zelfbeklag! Vraag je liever af hoe je me kunt helpen.

Ik deel mijn kamer met een echte gek. Ze geven me een nieuw medicijn, iets in de lijn van methadon, dat nog niet is toegelaten op de Franse markt. De behandeling duurt twee weken. Ik moet aan dit nieuwe middel verslaafd raken, zodat ik de pijn van de ontwenning beter verdraag. Het echte afkicken komt later. Ik kom er redelijk goed doorheen. Bij vlagen voel ik pijn, maar die trekt ook weer weg.

Daar staat tegenover dat er met mijn kamergenote nauwelijks te leven valt. Hoewel ze van tijd tot tijd gewelddadige uitbarstingen heeft, slaag ik er toch in een beetje tot haar wereld door te dringen. De artsen denken dat die medepatiënt een gunstig effect op mijn genezing heeft, maar dat duurt niet lang. Na een paar dagen, in ieder geval tijdens mijn eerste week daar, springt ze midden in de nacht bij me op bed. Ze houdt dreigend een vork in haar hand en gilt dat ze me de ogen gaat uitsteken! Ik ben volledig overrompeld, want ik sliep nog. Ik begrijp niet wat er aan de hand is, of wat haar plotselinge woede heeft uitgelokt. Ze slaat toe, mist me en drijft de vork tot aan het heft in het kussen. Ik wil haar geen pijn doen, maar wat moet ik dan? Straks bereikt ze haar doel nog! Ze ligt boven op me, met haar volle gewicht, ik duw haar met kracht van me af, maar ze blijft maar inhakken op het onschuldige hoofdkussen, dus ik werk haar schreeuwend tegen de grond. Tevergeefs, zelfs op de grond zwaait ze dreigend met haar vork, en ze komt langzaam overeind. Nergens een alarmknop, ik krijg niet eens de tijd het ding te zoeken, en niemand hoort wat er gebeurt. Ik kan doen wat ik wil, haar in de houdgreep nemen, haar tegen de muur kwakken in de hoop dat ze bewusteloos blijft liggen, maar ze krabbelt steeds weer overeind om met dezelfde razernij in haar ogen op me af te stuiven. En dus ga ik haar te lijf als een straatvechter, ik bewerk haar met mijn vuisten en schop van me af, tot ze eindelijk half bewusteloos in elkaar zakt.

En op dat moment dringt het in een keer tot me door dat niemand heeft gezien of gehoord wat zich in onze kamer heeft afgespeeld, en zelf is ze niet in staat uit te leggen dat ze me heeft aangevallen en dat ik me alleen maar heb verdedigd. Ik reageer een beetje kinderlijk. Ik had de gang op kunnen lopen naar de verpleegpost, personeel te hulp kunnen roepen en de vork laten zien, maar ik ben het zat. Ik zou daar in een beschermde omgeving moeten zitten, waar ik aan mijn herstel kan werken, en dan word ik nog belaagd.

Mijn eerste reactie is weg te rennen. De eerste dag al heb ik een groot gat in de tuinmuur ontdekt, handig voor als ik een vriendje wil vragen me een plak hasj te bezorgen of als ik wil ontsnappen. Maar in de pijnlijke nevel die mijn hersenen binnendringt krijgt datzelfde gat tegelijkertijd de betekenis van een loerend gevaar. Ik heb me in die kliniek op laten nemen omdat er een reëel gevaar voor mijn lijf en leden bestond, maar als ik naar de verbrokkelde muur kijk, denk ik: Wat een idioten, dat ze daar niets aan doen, je kunt zo ontsnappen.

Ik sluip door het gat in de muur en zet het op een lopen. In de verte hoor ik een trein en ik kies meteen die richting, tot ik bij een station kom. Ik heb geen idee waar ik ben, maar er is een station! Als de trein komt, spring ik erin. In alle vroegte stap ik in Parijs weer uit. Ik heb niets op zak, geen geld, geen metrokaartje, niks. Ik kan nergens heen, want niemand weet dat ik de benen heb genomen. Ik keer terug naar mijn oude buurt en loop Petit Philippe tegen het lijf. Hij wilde zo graag dat ik afkickte, was zo blij dat ik me liet opnemen.

'Hélène!'

'Ik heb het geprobeerd, maar het is niet gelukt, ik kan het niet, ik wil zo graag, maar ik kan het niet…'

'Kom maar, maak je geen zorgen, we zoeken een warm cafeetje op.'

We praten wat en verdrijven de tijd tot het licht wordt, maar dan voel ik iets vreemds, ik ben ineens eenzijdig verlamd. Het is het middel dat ze me een paar keer per dag toedienen om af te kicken. Ik heb alweer ontwenningsverschijnselen! Ik kan niet meer lopen en mijn mond vertrekt aan een kant. Ik was vergeten dat de inname van het medicijn langzaam moest worden afgebouwd om daar geen last van te krijgen. Ik heb hulp nodig, en degene die het dichtst bij het café woont, is mijn vader. Ik strompel erheen en stort op de deurmat in elkaar. Ik heb de kracht niet meer naar de bel te reiken en klop krachteloos op de deur. Na een paar keer wordt hij eindelijk wakker. Hij opent de deur en belt meteen de arts van de kliniek.

'Wat moeten we doen?'

'Ze moet onmiddellijk terug naar de kliniek.'

Ik wíl helemaal niet terug, maar ik kan niet anders, want ik moet afkicken van dat nieuwe middel en dat kan ik niet alleen.

Ze brengen me terug en ik maak de behandeling af, maar het grootste manco van een dergelijk middel is dat het hele ritueel rond het spuiten, van de voorbereiding, via de knevel, het shotten zelf tot de flash niet word geïmiteerd. Het verlangen daarnaar blijft bestaan. Het spuiten met een naald heeft een effect als een bom. Het werkt ontzettend snel. Je wordt overweldigd door warmte, overspoeld door een golf van licht.

Ze hebben me nu op een eenpersoonskamer gelegd. De furie met de vork ligt nog op haar kamer. Ik spreek haar soms, en dan zegt ze dat ze veel van me houdt, maar ik wil niet dat ze te dichtbij komt. De hele behandeling duurt een maand. Ik praat regelmatig met een psychiater en dan stort ik mijn hart uit; soms krijg ik de indruk dat ik hem de stuipen op het lijf jaag. Hij is natuurlijk gewone gekken gewend, geen criminele verslaafden. En de eerste vraag is altijd dezelfde: 'Hoe kom je aan het geld?'

Een vraag die je moet beantwoorden, ook al is het naast al het leed dat bij een heroïneverslaving hoort eigenlijk een ongepaste vraag. Geld, de slimmigheidjes, diefstal en soms ook prostitutie, het hoort er allemaal bij, maar ze vormen niet de kern van het probleem. Die ander wil me ervan doordringen dat criminaliteit, ook kleine criminaliteit, gevaren met zich meebrengt, maar die vergrijpen zijn niet meer dan een bijwerking. Je lost een probleem niet op door de symptomen te bestrijden, je moet de oorzaak aanpakken. De taal van de verslaafde is niet die van leed, pijn en verdriet, maar die van genot, genot tegen elke prijs, zelfs als de dood die prijs is.

Mensen vinden het echter onacceptabel dat een verslaafde instantgenot beleeft dat veel meer kost dan iemand met werk kan verdienen en in een dag opmaakt wat Jan Modaal in een maand verdient. Des te verwerpelijker is het dat de verslaafde 'laaghartig' de sociale mores afwijst. En degene die hiervoor begrip toont, brengt zichzelf in een ongemakkelijke positie omdat hij de 'moed' heeft getoond dat te accepteren.

Ouders moeten stevig in hun schoenen staan en open genoeg zijn om tegen hun kind te kunnen zeggen: 'Dat is de weg die we moeten volgen.' Als ze dat niet doen, zal het kind de persoonlijke zwaktes, leugens en innerlijke tegenstrijdigheden van de ouders spiegelen. Wat zich tussen mijn ouders heeft afgespeeld is hun probleem, het is niet aan mij om dat hier uit de doeken te doen. Het doet me verdriet, dat zeker, maar dat zullen ze niet begrijpen. Net zomin als mijn eerste psych, de psychotherapeut die me mijn hart liet uit-storten en me vervolgens na een maand liet vallen.

Ik heb de eenzaamheid weer gevonden, ben niet meer in staat met gewone mensen te praten. Ik heb verleerd te eten, mes en vork te gebruiken. Ik honger niet meer, niet naar voedsel en niet naar het leven. Na mijn ontslag uit de kliniek ben ik een wild dier geworden, ik neem niet meer deel aan het maatschappelijk leven, ga niet naar school en duik zelfs de kroeg niet meer in om me te vermaken. Ik doe mijn best niet terug te vallen, maar ik heb niks om de gapende leegte die de heroïne heeft achtergelaten te vullen. Daar kunnen hier en daar een paar joints ook niets aan veranderen. Met mijn zus gaat het ook niet erg goed. Ze heeft al twee of drie vermageringsklinieken bezocht, maar tevergeefs. Ook zij lijdt in stilte. We zien elkaar weer wat vaker en proberen el-kaar wederzijds te stimuleren dingen te ondernemen, maar ik vind alles zo uitzichtloos.

Ik zie niemand meer, heb geen vrienden, heb nergens be-langstelling voor, zit zonder baan en sluit mezelf af voor de buitenwereld, het bewijs dat ik er nog niet van ben verlost, ook al heb ik geen ontwenningsverschijnselen meer.

Het ontbreekt me aan de wil van de heroïne af te blijven, ik moet mezelf laten opsluiten.

10

Kort nadat ik achttien ben geworden, neem ik het besluit. Dit wordt de laatste shot van mijn leven.

Ik heb me ingeschreven – ik heb eindelijk een geldige handtekening – voor een opname in het Sainte-Anne, een beroemde kliniek gespecialiseerd in psychiatrische en neurologische aandoeningen, waar ik een ontwenningskuur ga volgen. Daags voor de opname zit ik in mijn kamer, tegenover die van mijn ouders, en ik tel wat er over is van mijn aardse bezittingen. Ik ben al vijf keer beroofd en er is niet veel meer over. Ik heb noch heroïne, noch spullen om te verpatsen.

Als ik de rekening heb opgemaakt, blijkt dat ik net genoeg heb om de dealers af te betalen – me van hen los te maken dus – en heroïne voor een laatste shot te kopen. Die dag heb ik er al acht of negen gezet. De volgende dag kick ik vrijwillig af, en zonder hulp van Sylvie. Als het mislukt, wil ik het alleen mezelf kunnen verwijten. Ik wil niet nog eens mensen teleurstellen.

Ik ben druk bezig die tiende of elfde shot voor te bereiden als ineens twee vrienden langskomen. Ik ken ze goed, een jonge Arabier uit een naburige wijk en Eric, de bolleboos van mijn basisschool. Ze zijn ook gezonken tot het niveau van de spuiters, zoals zoveel andere jongeren uit die buurt.

'Morgen houd ik op met spuiten. Ik ben nu achttien.'

'Ja, dat zeg je steeds. Dat zeggen ze allemaal, maar ondertussen spuit je je aderen vol.'

'Ja, maar dit keer is het echt, ik laat me vrijwillig opsluiten. Morgen is het zover.'

'Tuurlijk. Dat zien we morgen wel weer.'

'Ik maak alleen even op wat ik nog had liggen.'

'Nu we het er toch over hebben, dat doen wij wel voor je, je smack, je stuff, noem maar op…'

'Jullie zijn walgelijk! Als jullie dat doen, kom ik er nooit vanaf, ik moet nu echt shotten! Anders kan ik niet verder.'

'Wat kan ons dat nou schelen. Bovendien, als je eraf bent, heb je het toch niet meer nodig.'

Ik doe de laatste restjes heroïne bij elkaar, zet een laatste spuit en voel mezelf wegzakken. De flash komt te snel. Ik herken het gevoel van eerdere overdoses. Voor de deur van de kamer zak ik in elkaar, ik heb niet eens tijd de knevel los te maken, de naald is inmiddels op de grond gevallen, het

bloed gutst uit de wond. Oef, gelukkig heb ik rode vloerbe-
dekking, dan zie je de bloedvlekken tenminste niet, denk ik
nog. Ik voel dat ik doodga, en het doet me niks. Mijn eerste
gedachte is dat niemand straks de vloer hoeft schoon te maken.

De stemmen van mijn twee vrienden dringen vaag tot
mijn wattenhoofd door.

'Shit, wegwezen! Ze gaat dood.'

Ze proberen de deur open te doen, maar ik lig er als een
zoutzak tegenaan. Ik kan me niet meer bewegen, de flash
kwam zo snel dat ik me binnen een paar seconden op de
grond moest laten zakken, terwijl ik weet dat het normaal
gesproken een minuutje duurt voor de heroïne zich een
weg naar mijn hersenen heeft gebaand.

'Zo is Jarv ook gestorven,' hoor ik mezelf zeggen.

Ik voel me wegglijden. Ik ben er al niet meer. Het is niet
als in een droom. Ik heb het bevreemdende gevoel dat ik al
dood ben, maar dat die laatste woorden als een soort me-
chanische reflex over mijn lippen zijn gekomen. Ik ben me
er volledig van bewust dat ik Jarv achternaga.

En de opgewonden stemmen van de jongens dringen
ook nog tot me door, als een soort voice-over.

'Shit! Shit! Ze is nog niet dood, wacht…'

'Nee, nee, kom op nou, wegwezen hier!'

'Nee joh, als ze niet dood is, worden we straks opgepakt.'

Ze buigen zich over me heen om te kijken of ik nog adem,

en hun stemmen klinken steeds verder weg. Ze praten tegen me en schudden me door elkaar. Dan zie ik mezelf liggen, onderuit tegen de kamerdeur, alsof ik toeschouwer ben van mijn eigen dood.

'Shit, ze is wel dood, haar hart klopt niet meer! Ze ademt niet meer! Wat doen we nou?'

De een twijfelt of hij de benen zal nemen, de ander is bang. Ze schudden nog eens aan me, maar het lukt ze niet me terug te halen, en ik glijd steeds verder weg, gelaten.

Ik weet dat ik dood ben. Ik hoor alleen nog een stemmetje van binnen dat zegt: 'Ik ben dood… Ik ben dood…' Het stemmetje klinkt zo zacht dat ik geen enkele angst voel. Als ik het had geweten, had ik het sneller gedaan. Dat is het dan, de dood. Ik ben heengegaan, dat was het dan, het einde. Het is goed zo.

Ze sleuren me onder de douche en proberen me met een paar petsen op mijn wangen naar het rijk der levenden te verleiden, maar ik voel niets.

Ik 'zie' hoe ze mijn lichaam naar de douche slepen, 'ik zie' dat ze zeggen: 'Dat lukt nooit, dat lukt nooit.' Ik 'zie' dat ze die klappen uitdelen. Ik voel de dingen niet meer, maar zie ze alleen nog maar, alsof ik mijn lichaam al heb verlaten.

Ruimte bestaat niet meer, tijd ook niet, ik kan van heden naar verleden en weer terug springen, een soort traploze zoom. Maar dan komt er met een sprong naar de toekomst plotseling een eind aan al die fluwelen zachtheid: mijn moeder staat voor de deur. Ze probeert de deur naar mijn kamer open te duwen, wat niet lukt omdat mijn lichaam er nog tegenaan ligt, en ziet door de kier mijn arm met de knevel er nog omheen. Zo ontdekt ze vanaf de gang mijn levenloze lichaam. Zo is Jarv ook gestorven. Dan zegt de innerlijke stem: 'Dat kan ik haar niet aandoen.'

Op datzelfde moment schakelt het sterfmechanisme achteruit.

Ik kom een moment bij kennis, en terwijl ik mezelf nog steeds op de grond tegen die deur zie liggen, morsdood, alsof ik in de bioscoop naar een film over mezelf zit te kijken, keer ik terug in mijn lichaam. Ik lig inderdaad in de douche en ze slaan me echt in mijn gezicht, hard, en ik hoor ze zeggen: 'Ja! Oké! Oké! Ze ademt weer!'

Ik ben niet gestorven zoals Jarv. Mijn vrienden hebben gedaan wat ze moesten doen, maar ik weet absoluut zeker dat ik een milliseconde lang mijn moeder zag en dat ik toen besloot te leven om haar geen pijn te doen. Ze heeft al genoeg geleden.

Ik heb vluchtig kennis gemaakt met een realiteit waarvan ik het bestaan nooit had vermoed. Ik heb eindelijk de rede uitgeschakeld en mijn overlevingsinstinct is onmiddellijk in die leegte gesprongen. Voor het eerst van mijn leven kies ik voor het leven, ook al is het om een reden die buiten mezelf ligt. In die stervenstoestand zag ik het leven als door een trechter uit me wegstromen en die trechter knalde ineens uit elkaar. Die explosie bracht de ware betekenis van het leven aan het licht en verpulverde mijn afwijzing van het leven. De dood, ik ben er geweest en weer teruggekomen. Ik heb geleerd dat het bestaan geen keurslijf kent. Ik had mezelf in een verkeerde kijk op het leven gesnoerd, terwijl de werkelijkheid heel anders was. Mijn werkelijkheid is dat ik op een goede dag inzag dat het leven sterker is en dat alleen mijn eigen zelfopgelegde beperkingen een rem op mijn dromen waren.

Koud water is het eerste dat ik voel als ik weer bij kennis kom. Toch ril ik niet. Ik heb mijn kleren nog aan en lig kletsnat in de douche. Ik hang met mijn rug tegen de muur, overeind gehouden door vier handen die driftig proberen het water rechtstreeks op mijn hoofd te laten kletteren. Er zit ook nog een kozijn in mijn herinnering, want daar hebben ze me onzacht tegenaan gestoten toen ze mijn lichaam de doucheruimte in sleepten. Dat zou zeer hebben gedaan als ik wat had gevoeld, maar toen was ik daar niet meer. Toen bekeek ik mezelf als door de ogen van een ander. Mijn bewustzijn zag mijn lichaam en ik weet nog dat ik zelfs dacht dat ik het uitgeschreeuwd zou hebben van de pijn als ik nog had geleefd. Die zak vlees en botten kende geen pijn en verdriet meer. Dat was ik niet meer, ik was elders. En plotseling weigerde mijn bewustzijn zichzelf definitief te vernietigen. Het heeft zich losgerukt, bevrijd.

Ik ben lange tijd bang geweest hierover te praten. Ik dacht

dat niemand het zou kunnen begrijpen, dat ze me voor krankzinnig zouden verslijten. Ik was gereed voor vertrek, ver van mijn lichaam, en ik was blij. Ik ga eindelijk naar Jarv, dacht ik bij mezelf. En sindsdien ben ik niet bang meer voor de dood, of voor het leven.

Ik heb dat moment beleefd als een grensovergang. Soms ga je gedachteloos van het ene naar het andere land omdat de grens niet meer dan symbolisch is – het stof is daar net zo stoffig als het stof hier. Net als op zee, waar het passeren van de evenaar onzichtbare symboliek is, maar ook de overgang naar een compleet andere wereld. Mijn onzichtbare grens was een miljardste millimeter tussen het land van het bewustzijn en dat van de realiteit. Op dat moment was ik niet gelovig; in het licht van de menselijke zelfzucht en moorddadigheid schenen religies met hun dogma's me onlogisch en belachelijk toe. Als klein meisje vroeg ik me wel eens af of een God die zo onrechtvaardig was dat hij onschuldige kinderen van honger liet omkomen wel bestond. Ik heb nooit antwoord op die vraag gekregen, maar die dag, toen ik de dood voor ogen had, heb ik het geloof als het ware 'opgelopen', maar zonder voor een bepaalde religie te kiezen. Alsof het heilig vuur eindelijk was ontbrand. Het ondenkbare is werkelijkheid geworden en ik ben 'verslaafd' geraakt aan het leven. Nooit zal ik meer een schaduw van mezelf zijn.

Als ik de volgende dag wakker word, ben ik behoorlijk van slag, maar ik ben niet vergeten dat ik mezelf heb beloofd me op te laten sluiten in een speciale kliniek. Ik begeef me op pad naar mijn afspraak, samen met mijn bewustzijn, mijn lichaam en de na-ijlende resten van mijn laatste shot.

De dienstdoende arts, een sadist, fouilleert me alsof ik een delinquent ben.

'Ho eens, ik ben hier uit mijn eigen vrije wil, hoor, ik kom uit mezelf, niet omdat de rechter me ertoe heeft gedwongen.'

'Ja, ja, je bent niet de eerste junk die we hier krijgen.'

'Eh hallo, ik krijg dadelijk een onthoudingscrisis hoor.'

'Jaha, reken maar.'

Ik kom op zaal, een smerig vertrek waar nog zeven anderen liggen. De deur gaat op slot en ik ga op bed liggen. Ik heb niks meegenomen, ik kom met lege handen, ik kan er toch niets aan veranderen. Ik heb eerder afgekickt en weet dat ik straks behalve tot tandenknarsen en lijdzaam afwachten tot niets in staat zal zijn.

Ik wacht. Ik krijg het koud en de eerste rugpijn dient zich aan, het begint. Ik sta op, loop nog wat rond zolang ik daar nog toe in staat ben en vraag iets om de pijn te verzachten.

'Ja, natuurlijk, gelukkig bent u onze enige patiënt. Gaat u eerst maar eens terug naar bed, we komen zo bij u.'

Er komt niemand bij me, de hele dag niet, en ik krijg dus ook niets toegediend. En al die tijd hoor ik de andere patiënten, allemaal mensen met een psychiatrische stoornis, schreeuwen en kreunen: 'Er moet iemand komen! Ik moet plassen... Moet plassen... Moet plassen.'

In het begin heb ik nog medelijden met ze, maar als ik die monotone klaagzang een paar uur heb aangehoord, terwijl ik lig te kronkelen van de pijn, kan ik ze wel wurgen. Alleen maar om van het gejammer te zijn verlost. Niemand komt kijken, niet naar hen en niet naar mij. De nacht is een hel. Ik heb wel vaker last gehad van onthoudingsverschijnselen, maar een hele dag en een hele nacht tot de volgende ochtend is ondraaglijk. De hele ontwenningsmachinerie draait op volle toeren, van de pijn, de panische zucht naar de volgende shot tot wanhopige pogingen het allemaal onder controle te krijgen. En het begint al voor die goed en wel op stoom komt.

Ik ben uit eigen vrije wil gekomen in de verwachting hulp te krijgen, maar ik lig in een bed op een zaal waarvan de deur op slot wordt gedraaid, zonder medische hulp, zonder dat iemand zelfs maar even komt kijken. Word ik gestraft? Omdat ik een junk ben die nu eenmaal niet beter verdient?

Als de volgende ochtend de deur van slot wordt gedraaid, sprint ik zo snel mijn afkickende lijf het toestaat naar de zaalarts.

'Geef me dat formulier maar, dan teken ik, want ik verlaat het ziekenhuis. Ik ga. Tegen medisch advies in, ik weet het, maar ik ga.'

'Wacht even, we roepen uw behandelend arts even.'

'Kan me geen flikker schelen. Ik wil mijn spullen, want ik ga nu weg. Nu!'

Ik voel de woede en de agressie in me opborrelen. Ik kan mezelf nog net overeind houden. Nog even en ik stort in of sla iemand in elkaar.

'U ontslaat me nu, of ik ram erop, op uw zieken, de stoelen, de bedden, die kutcomputer, uw rotkop en ik begraaf u onder uw eigen klotebureau!'

'Wacht, rustig, we zullen je een kalmerend middel geven.'

'Nee! Daar is het nu te laat voor. U geeft me helemaal niks meer! Dat had u gisteren moeten doen! Ik teken en vertrek!'

'Dit begrijp ik niet. Hoe komt het dat niemand zich gisteren over u heeft ontfermd?' vraagt de chef de clinique, die op het rumoer is afgekomen.

Ik hoef geen verklaring meer. Ik was gemotiveerd begonnen aan dit zelfgekozen einde aan mijn helse beproevingen. Een slecht plan. Ik had me nooit moeten laten opnemen in een psychiatrisch ziekenhuis. Ze hadden me nooit met die gekken op één zaal mogen leggen.

Wat de arts dacht toen ik hem vroeg me op te nemen, weet ik niet, waarschijnlijk dat het wel meeviel, of het was onverschilligheid vermomd als trots en arrogantie. Ik weet niet meer wie me dit ziekenhuis heeft aangeraden, want omdat ik Sylvie niet nog een keer wilde teleurstellen, heb ik een ander geraadpleegd. Dat is me slecht bekomen. En omdat ik opgesloten zit tussen de gekken, kan ik haar ook niet bellen om de situatie uit de doeken te doen. Ik ben gebroken.

'Nee. Ik ga. Ik ben meerderjarig. Het is mijn leven en het is mijn probleem. Als ik mezelf daarbuiten de vernieling in wil helpen, is dat mijn goed recht. Ik heb besloten me hier te laten opnemen om af te kicken en nu besluit ik te vertrekken en ergens anders af te kicken!'

'Kom nu eerst maar eens tot rust en laat je door ons behandelen, daar zijn we uiteindelijk voor.'

Ik heb zoveel gevaarlijke situaties meegemaakt, levensgevaarlijke soms, zoals die keer dat iemand me dreigde te vermoorden, dat ik me er niet door een willekeurige geneesheer-directeur van zal laten weerhouden zijn dierbare ziekenhuis de rug toe te keren.

'Gisteren was het uw probleem niet en nu is het uw probleem ook niet meer. Ik vertrek. U kunt praten tot u een ons weegt, maar u verdoet uw tijd, want ik vertrek!'

En ik voeg de daad bij het woord. Ik ben te ziek om op de metro te wachten en neem een taxi.

'Je ziet er niet best uit...'

'Ik ben net ontslagen, ik heb in het ziekenhuis gelegen voor een maag-darmontsteking.'

Ik zie eruit als elke andere jonge vrouw – geen punk meer, geen rijtje ringen door mijn oren – en ik weet ondertussen hoe het werkt.

Ik heb een plastic tasje bij me waar niks in zit. Ik vraag de chauffeur te stoppen voor een gebouw dat ik goed ken, niet ver van het huis van mijn ouders, en vraag de chauffeur even te wachten. De plastic tas laat ik als een soort borg op de achterbank liggen. Zoals gewoonlijk loop ik door de hoofdingang naar binnen om via een achterdeur het pand even snel weer te verlaten. Ik kan niet anders, dit is een noodgeval. Ik moet nadenken, en om te kunnen nadenken moet ik een shot, om de pijn te onderdrukken.

Wat te doen? Ik ben er slecht aan toe, ik moet afkicken, maar hoe? In mijn eentje lukt het niet, niet zonder mijn moeder alles uit de doeken te doen, want die weet nog lang niet alles, in ieder geval niet hoe ernstig mijn toestand is. Ze heeft geen idee hoe diep ik ben gezonken. Ik heb nog maar één uitweg: Sylvie. Eigenlijk was het vooral misplaatste trots dat ik haar niets heb verteld: ik wilde niet dat ze erachter zou komen als ik opnieuw faalde. Misschien hield ik met opzet een achterdeurtje open, voor als het misging. Dit keer geen achterdeurtjes, uitvluchten of smoesjes, ik vertel haar ronduit dat ik hulp nodig heb.

Korte tijd later lig ik volgepompt met kalmeringsmiddelen in weer een ander ziekenhuis. Ik doe geen oog dicht. Ik heb beklemmende, benauwende paniekaanvallen, last van claustrofobie, spierpijn, zenuwpijn, uitstralend van mijn heupen naar mijn benen, het vlamt op en dooft weer, om vervolgens weer op te vlammen. Ik krijg veel medicijnen toegediend. Na een paar dagen onthouding en een reeks onderzoeken, komt het slechte nieuws.

'Je gezondheid gaat achteruit. De ziekte schrijdt voort. Het begint met fibrose; de cellen gaan dood en worden met de urine afgevoerd, een proces dat we voorlopig niet kunnen stoppen. Het volgende stadium is cirrose, en dan is een levercoma niet ondenkbaar. Ten slotte loop je een verhoogd risico kanker te krijgen.'

Het wordt een gewoonte. Al vanaf mijn eerste shot en de waarschuwing dat ik mijn leven in gevaar breng, houd ik mijn urine in de gaten. Zolang het helder is, is er niets aan de hand, maar als het donkerder wordt, moet je oppassen. Kastanjebruin is foute boel.

'Is het ernstig? Ik wil weten waar ik aan toe ben.'

'Ik denk dat je nog zes maanden te leven hebt…'

Ik wilde de waarheid en ik kreeg de waarheid. Hij heeft echt gezegd dat ik nog zes maanden heb. Als hij even later terugkomt, heeft hij een stel assistenten in zijn gevolg. Ik ben een schoolvoorbeeld geworden, een leermoment.

Ik zit in kleermakerszit op bed en vraag me af wat ik daar eigenlijk doe, wat het nut is dat ik blijf. Ze verbieden me de belachelijkste dingen: 'Je mag niet roken hier! Dat mag je niet eten, dat is niet goed voor je lever!'

Ik heb nog zes maanden te leven, zeggen ze, en ze stellen geen enkel behandelplan voor, hebben geen enkel medicijn voor me, niets. Helemaal niets? Shit, steek ik eindelijk mijn kop uit boven het moeras, strek ik mijn armen om gered te worden, door wie of wat dan ook maar, krijg ik te horen dat het te laat is! Is het licht na de laatste overdosis voorzichtig weer gaan branden, ontsnap ik langzaam uit de duisternis, heb ik eindelijk zin in het leven, doen ze het licht uit. Is dit echt het einde?

'En als ik vanaf vandaag nooit meer een gram heroïne neem, geen druppel alcohol meer drink, alle soorten gif laat staan, blijf ik dan leven?'

'Nee.'

Ik overzie het slagveld gelaten. Ik heb zo gestreden om ervan af te komen, heb zoveel pijn geleden en me zelfs laten opsluiten. Ik ben afgekickt. Mijn leven begint opnieuw en eindigt korte tijd later in diepe droefenis. Ik ben achttien. 'Je moet nooit opgeven. Je moet nooit opgeven,' zei Sylvie altijd. En nu eindelijk is gebeurd waar ze al die tijd stilletjes op had gehoopt, dat het levensvuur van binnen weer opflakkert…

Ik mag ze niet, al die jonge assistenten, die dokters in wording die me behandelen als een lap vlees. Ze staan in de dierentuin naar een bijzonder natuurverschijnsel te staren: JUNKIE, HOMO JUNKIENS, NIET VOEDEREN!

Vier jaar lang heb ik het leven op straat afgewisseld met

ziekenhuisopnamen. Ik begrijp wat ze zeggen en wat ze zien: een ondersoort met meer heroïne dan bloed in de aderen. In mijn bijzijn praten ze over me alsof ik er niet ben. Sommigen hebben het zo moeilijk met mijn ultrakorte levensverwachting dat ze mijn blikken proberen te ontwijken, alsof ik een zwaar gehandicapte ben die je niet in de ogen durft te kijken. Ze prikken me met naalden, analyseren de gegevens en vergelijken hun staatjes.

En dan staat er ineens een vreemde aan mijn bed. Hij gunt me een uur van zijn tijd en redt me door me nieuwe hoop te schenken. Dag in dag uit komen ze het tempo opnemen waarin het fenomeen dat ik ben geworden aftakelt, en dan komt ineens die figuur mijn kamer binnen wandelen, ontspannen, voor de verandering eens iemand van wie je geen knallende koppijn krijgt. 'Hallo,' zegt hij op bijna joviale toon en het ijs is meteen gebroken.

'Ha, dat doet goed, een glimlach, een menselijk geluid. Heeft u het wel tegen mij? Ik ben gewend dat ze me niet zien. Dat u hallo tegen me zegt, roert me tot tranen.'

'Maar dat is toch niet meer dan normaal?'

'Nou nee, sinds een paar dagen zijn normaal, ongecompliceerd en spontaan ver te zoeken. Ik ben ook al dood, moet u weten. Ze kunnen me niet meer aankijken. Dat kunnen ze altijd nog doen als ik eenmaal koud ben.'

Mijn bezoeker laat zich niet afschrikken: 'Je hebt in ieder geval je gevoel voor humor nog. Goed, wat hebben ze je verteld?'

'Zes maanden, en ik krijg veel pijn later, ik heb er een beetje genoeg van.'

'Dat begrijp ik.'

Hij gaat bij me op bed zitten, ausculteert me snel en controleert mijn reflexen.

'Alles doet het nog. Was je vroeger sportief?'

'Veel rolschaatsen. Ik heb ook veel geskied en gezwommen, ik was dol op zwemmen, dan was ik echt in mijn element.'

'Het is jammer, op de diagnose en de alarmerende onderzoeken na, blaak je eigenlijk van gezondheid. Hoe heeft het zover kunnen komen? Je hebt je kranig verzet, lichamelijk dan, je conditie lijkt in orde.'

En hij vertelt me het verhaal van iemand die hij goed heeft gekend, een alcoholist, opgegeven, net als ik. 'Als de artsen toch niets meer voor me kunnen doen,' had die tegen zichzelf gezegd, 'ga ik volop genieten van de tijd die me nog rest. Ik ben de enige die nog wat voor mezelf kan doen. Dus dat ga ik dat ook doen, de aanhouder wint!' En hij leeft nog steeds, in goede gezondheid.

'Toch is het zonde. Je bent intelligent, je lichaam zou zo opnieuw kunnen beginnen en heeft het ergste weerstaan. Zonde dat je daar niets mee hebt gedaan. Met jouw leveraandoening had je er heel anders aan toe moeten zijn.'

'Hoe anders?'

'Uitgemergeld, ziekelijk, vel over been, droog schilferende huid, geelzucht, maar dat zie ik allemaal niet. Je beschikt kennelijk over een grote innerlijke kracht, een wilskracht die meer waard is dan alle medicijnen en artsen bij elkaar. Je kunt beter worden, als je maar in jezelf gelooft!'

Voor het eerst sinds mijn opname praat iemand me op die manier moed in. Een prima vent, we praten honderduit, maken grappen en ik lach om de vreselijkste dingen. Goed, ik ben dus niet ongezond, zie niet geel, ben niet vel over been en heb nog zes maanden? Dan volg ik het voorbeeld van zijn vriend. Ik ga volop genieten van de tijd die me nog rest, tot ik te ziek ben en niks meer kan. Tegen die tijd kan ik altijd nog de ultieme overdosis nemen, maar de tijd die me tot dan rest, kan ik mooi gebruiken om mensen te vertellen dat ik van ze houd, want ik heb er een paar behoorlijk pijn gedaan.

En mijn bezoek is alweer vertrokken, precies op het moment dat mijn vader belt.

'O pap, ik ben blij dat ik je aan de lijn heb.'

'Hm? Wat is er met jou aan de hand? Wat heb je?'

'Niks! Ik ben gewoon blij je stem te horen.'

Om zo blij te zijn, moet ik in zijn ogen wel iets hebben gespoten.

En dus doe ik hem het hele verhaal. Van de arts die me net had bezocht, van de vriend die door medici was opgegeven en het toch had gered, omdat hij erin was blijven geloven en ervoor had gekozen tot het bittere eind volop te blijven genieten.

'Dat ga ik dus ook doen! Ik ga mezelf zolang het nog kan op het leven trakteren; dan heb ik dat laatste stuk tenminste goed geleefd, zonder pijn en verdriet, zonder voortdurend de dood na te jagen.'

Die laatste overdosis, toen ik bijna definitief opsteeg, was voor mij erg belangrijk, die bijna-doodervaring voelde als een openbaring. Ik had al eerder lichtpuntjes ontwaard aan mijn verder gitzwarte horizon, maar nu wil ik gulzig van dat laatste restje leven genieten. Ik ga het ziekenhuis uit en genieten alsof mijn leven ervan afhangt!

'Maar wie heeft je dat nou weer wijsgemaakt?' sputtert mijn vader tegen. 'Wat is de naam van die arts?'

'Geen idee. Een of andere co-assistent.'

'Maar wat is dat voor onzin? Je blijft lekker in bed, jongedame. Ik bel het afdelingshoofd, want ik wil de naam van die zogenaamde dokter weten. Wie denkt hij wel dat hij is, dat hij bij jou valse hoop wekt!'

Dat is wat hij zegt, maar hij beseft waarschijnlijk niet dat het helemaal niet om valse hoop gaat, maar om hoop of helemaal niets. Hij wil verhaal halen, en ik ben bang dat de enige arts die de moeite heeft genomen een gesprek met me aan te knopen door mij problemen zal krijgen, terwijl hij in mijn beleving nu juist een wonder heeft verricht. Hebben we haar eindelijk zover dat ze zich laat behandelen, wil die vent haar weer de straat op sturen, denkt mijn vader natuurlijk.

Hoe dan ook, hij heeft het niet begrepen.

'Hier ben ik een proefkonijn voor nieuwe medicijnen, ze nemen elke dag meer bloed af en controleren de functie van mijn lever zonder dat het ergens toe leidt. Dat geven ze zelf toe! Ik heb genoeg van al dat prikken en snijden en wil dat laatste stuk van mijn leven terug hebben, voor mezelf. Ik ben ervan overtuigd dat ik voor mijn eigen herstel kan vechten! Ik heb twee opties, opgeven of die kracht in mezelf ontwikkelen. Er is maar één manier om dat medische doodvonnis te herroepen. En in het ergste geval, als mijn hervonden levenslust en geloof me niet genezen, heb ik die laatste momenten in ieder geval volop geleefd.'

'Ik wil weten wie jou dit in het hoofd heeft gezet!'

'Nee, ik wil niet dat jij hem het leven zuur maakt, want het is míjn leven! En bovendien, ik pak mijn biezen. Ik heb nog een leven te leiden, hoe kort het ook is.'

Met die woorden hang ik op. Mijn vader kennende, zal hij binnen tien minuten terugbellen en alles in het werk stellen om te verhinderen dat ik het ziekenhuis verlaat. Maar ik ben meerderjarig en trek in bij mijn vriendin Sab. Het eerste wat ik doe, is een flinke joint nemen. De volgende ochtend staat mijn moeder al vroeg bij Sab op de stoep.

'Hélène, Hélène, ik wil je spreken.'

Ze wist natuurlijk wel dat ik daar zou neerstrijken. Sab maakt crises door en gebruikt dan regelmatig en gedurende langere perioden. Ze is minder vastberaden in haar zelfdestructie als ik en zal ook nooit van de drugs afkomen.

'Ik doe niet open. Ik ga niet terug. Ik wil leven. Kunnen jullie me niet gewoon met rust laten? Ik wil de tijd die me nog rest buiten het ziekenhuis leven, we zien elkaar pas weer als ik wel opgenomen móét worden. Ik heb niets meer om voor te leven, maar misschien heb ik de kracht om mezelf te genezen en die kans moet ik grijpen. Daar doe ik toch niemand kwaad mee? Wat doe ik fout als ik nog probeer iets van mijn leven te maken?'

'Bij mij ben je thuis, daar heeft je vader niks mee te maken. Bij mij ben je altijd welkom, doe wat je wilt, mijn deur staat altijd voor je open! Als je wilt dat ik de deur achter je op slot draai, draai ik die achter je op slot, zodat je vader er niet in kan.'

Gedurende de rest van de dag denk ik over haar voorstel na en 's avonds ga ik terug naar huis. En ze verdedigt inderdaad ons territorium. Mijn vader wil naar binnen, maar ze doet niet open.

'Nee, ze wil je niet zien. Ik doe niet open.'

Voor het eerst heeft mijn moeder nee gezegd en me haar vertrouwen geschonken. Nu moet ik alleen nog bewijzen dat ik dat vertrouwen waard ben.

11

Bij mijn moeder thuis voel ik me veilig, maar straks?

De draad van het leven weer oppakken. Ik heb mijn puberteit zwevend doorgebracht, hoog boven de realiteit, zonder ooit met beide voeten op de grond te hebben gestaan. Die flirt met de dood en de fascinatie voor de leegte zijn allebei ineens verdwenen. Ik rook niets meer, ik gebruik niets meer. Ik moet dat niets opnieuw betekenis geven, tot leven wekken, en dat terwijl mijn ziekte me al heeft veroordeeld.

Maar hoe doe ik dat?

Ik moet geld verdienen, mezelf resocialiseren. Maar ik kan geen baan vinden. Mijn ouders staan zoals gewoonlijk op hun stand op de beurs in Parijs. Ik ben een goede verkoper, dat weet ik van mezelf, en in die tien dagen moet ik genoeg kunnen verdienen om me een minuscuul appartement te kunnen veroorloven. Ondertussen ontdek ik skates. Als kind was ik al dol op rolschaatsen, waarop ik talloze ontdekkingstochten door onze wijk maakte. Met skates kan ik als een klein meisje wegdromen, maar ik kan ze pas betalen als de jaarbeurs is afgelopen. Ik mag dan inmiddels volwassen zijn, het is mijn eerste echte verlangen, een terugkeer naar het gevoel van vrijheid van mijn kinderjaren. Het is heel belangrijk voor me.

De standeigenaar naast ons verkoopt inlineskates. Ze zijn nieuw op de markt en hij verkoopt ze voor een speciale 'beursprijs'. Ik krijg een idee: als ik hem klanten bezorg door me bij wijze van demonstratie op een paar skates over het beursterrein te verplaatsen, krijg ik dat paar gratis. Ik ga meteen op hem af.

'Met mij schiet de verkoop omhoog. Ik geef mensen je kaartje en stuur ze op je af. Ik zet mijn naam wel op het kaartje, zodat je weet dat ik ze heb gestuurd.'

Hij gaat akkoord en ik verdien een paar skates. Precies zoals ik had verwacht. Ik heb weer een deal gesloten, maar voor het eerst van mijn leven niet voor heroïne of shit, maar voor een paar skates.

Het begin is moeilijk. Mijn spieren zijn veel te slap en mijn conditie is te slecht om een sportieve prestatie neer te zetten. Maar ineens voelt het als herwonnen vrijheid, die ouderwetse sensatie van de wind door je haren en langs je huid. Oude herinneringen komen boven, het spel, de bochten, stoep op en af springen, het slalommen tussen de voetgangers door, alsof het leven met gutsen en golven op me af komt. Mentaal beleef ik het als een soort explosie, als iets dat na jarenlang borrelen en gisten bruisend tot leven komt. Ik stroom over van energie. Ik ben ziek, snel moe, maar voel het leven tintelen. Ik eet nog niet veel. Jarenlang heb ik mijn honger gestild met onbestemde bouillon en wat er toevallig aan voedsel binnen handbereik kwam, en dan val je niet een-twee-drie op een steak aan.

Die terugkeer naar het leven, die hervonden energie, die overgang van diepe, weerzinwekkende duisternis naar hervonden levensvreugde is even onstuimig als krachtig. Zo krachtig zelfs dat het lijkt alsof ik mijn neuronen in al mijn enthousiasme te snel opbrand.

Op een gegeven moment lijk ik zelfs last te hebben van paranoïde wanen, als ik een verkoper van mijn vader overal zie rondsnuffelen. Maar ik verbeeld me niks, want de beste man ís 'ingehuurd' om rond te snuffelen, rond mij met name. Mijn vader, die nog steeds geen vertrouwen in me stelt, heeft hem opdracht gegeven me in de gaten te houden, en ik maar denken dat het een bedrijfsspion is op zoek naar informatie over het familiebedrijf. Hij was ononderbroken aan het bellen, deed stiekem – niet zonder reden, zo blijkt later dus – en maakt me nerveus. Mijn argwaan is gewekt en ik waarschuw mijn vader. Wanneer hij uitlegt dat de man er is om mij te 'beschermen', vaar ik tegen hem uit. Dat hij me laat bewaken, bewijst dat hij er niets van heeft begrepen. Voor mij zijn heroïne en alle andere drugs verleden tijd. Mijn vader reageert 'eindelijk' op gebeurtenissen waar hij al die jaren totaal geen grip op heeft gehad. Maar zijn reactie komt veel te laat.

Ik gebruik niets meer. Ik ben er zelfs al in geslaagd mezelf te overstijgen, in stilte, dus dat kon mijn vader niet weten. Ik wil niet terugvallen, wil nooit heroïne meer gebruiken, maar ik heb die wil nooit aan de praktijk, om zo te zeggen 'live' getoetst. Op een dag krijg ik op de stand van mijn ouders bezoek van een spook uit het verleden.

'Hé, hallo, Hélène, ik wist dat ik je hier zou treffen. Hoe gaat het?'

'Ik ben bezig.'

'O, maar ik wacht wel even, als je dat wilt.'

'Ik weet niet precies wanneer ik klaar ben…'

Hij kent me en weet dat ik gebruikte, maar hij weet nog niet dat ik ben afgekickt. Al weken houd ik me verre van figuren als hij, en sluit ik me angstvallig thuis op om te voorkomen dat ik in de verleiding kom. Het is een schot voor de boeg.

'Oké, luister, ik heb nog wel wat, je mag het wel hebben,' zegt hij dan en overhandigt me een pakje. Heel vanzelfsprekend, zoals je een verstokte ex-roker een sigaret aanbiedt, omdat die nog niet duidelijk genoeg heeft gezegd hoeveel kracht, pijn en moeite het heeft gekost te stoppen. Ik neem het pakje aan.

Ik heb dit al eens eerder meegemaakt, ik kan het me nog vaag herinneren, kort na een vorige ontwenningskuur. Die keer had ik het diezelfde avond nog gebruikt, ik weet nog dat ik op zoek naar een naald al mijn geheime bergplaatsen had afgestroopt. Ik had er zelfs een achter een reclamebord gevonden, bedekt met een dikke laag schimmel.

Maar dit keer, op de jaarbeurs, weet ik niet goed wat ik moet doen.

Mijn eerste aanvechting is het spul te bewaren om het aan een ander te geven; elke junkie zal er even gelukkig mee zijn als een niet-gebruiker met een diamant. Daar zit ik dan, met een bolletje heroïne in de palm van mijn hand, en de vraag wat ik er in vredesnaam mee moet, alsof het ondenkbaar is het bolletje gewoon te laten voor wat het is.

Ik wil het niet, het ís geen diamant, het is troep, meer niet.

Ik ren naar het toilet, maak de verpakking open, kijk er nog eens goed naar, strooi de heroïne in de pot en trek door.

Op dit moment ben ik de koning te rijk. Ik heb een diamant door de plee gespoeld! Ik ben stomverbaasd dat ik tot zoiets in staat ben. Toen ik naar de toiletten rende, wist ik nog helemaal niet zeker of ik er de kracht voor zou hebben. Ik ging erheen zoals je met een parachute uit een vliegtuig springt – niet nadenken, niet nadenken, springen, springen… En ik heb de sprong gewaagd. Meer wilde ik niet. Het is me gelukt andere gebruikers niet langer als voorbeeld te nemen, ik heb weer met mes en vork leren eten, mijn haar is weer aangegroeid.

Ik heb besloten alleen nog maar uit innerlijke kracht te putten om de problemen van het bestaan te lijf te gaan. Geen chemische middelen meer, nooit meer.

Ik ga ook meteen bij Sab langs. Ze vindt het leuk dat ik op bezoek kom, maar ze zit net op heroïne te wachten. En die komt ook. En ik volg het hele ritueel. Tot voor kort was dat moment ook voor mij de navel van mijn bestaan. Het leven was waar de heroïne was, de rest deed er niet toe. Ik kan me nog herinneren dat ik op een dag de lepel met de heroïne erin vasthield, en dat de lucifer die ik onder de lepel moest houden afbrak nadat ik die had afgestreken en op de hand met de lepel viel. Ik heb die lucifer in die hand volledig laten opbranden, zonder de lepel los te laten of zelfs maar een millimeter te bewegen. Alleen omdat de heroïne erin lag, alleen daarom. Ik voelde de vlam branden, maar dat deed er niet toe.

Ik zit bij Sab, kijk toe en vraag me de hele tijd af wat ik hier in vredesnaam doe. In plaats van dat het voortdurend door mijn hoofd spookt dat ik moet oppassen en eraf moet blijven, denk ik: Goed, ik heb hier niets meer te zoeken, ze weet niet eens meer dat ik er ben. Ze trekt de heroïne in de spuit, knoopt de knevel om haar arm, zet de shot en ik zie de flash. En al die tijd vraag ik mezelf af wat ik hier doe.

Ik voel een immense opluchting wanneer ik de deur achter me dichttrek. Ik heb ingezien dat die 'diamant', die bron van genot die ze, als ik dat had gewild, graag met me had gedeeld, niets meer voorstelde, onschadelijk is geworden, zijn macht over me heeft verloren.

Tot nu toe ben ik op mijn hoede geweest, omdat ik wist dat het sterker was dan ik, maar na het bezoek aan Sab weet ik dat ik van de heroïne heb gewonnen. Ik heb het boek over liefde, dood en drugs definitief dichtgeslagen. Het heeft iets weg van een liefdesgeschiedenis en het eindigt met het gevoel dat je hebt als je tot over je oren verliefd op iemand bent geweest en dat ineens over is. Je weet hoe het voelt als hij er niet is, als je dag en nacht aan hem denkt, als je hele leven in het teken van jullie samen staat, en dan komt de crisis en de scheiding. Je loopt hem ergens tegen het lijf en je voelt de aantrekkingskracht, je bent op je hoede want hij heeft je al eens bedrogen en pijn gedaan, je wilt niet opnieuw beginnen maar toch voel je de verleiding, en dan zeg je eenvoudig tegen jezelf: 'Nee, dank je wel, ook al val je op je knieën, het is over, voor mij hoeft het niet meer.'

Een van mijn dierbaarste herinneringen is de reactie van Adrien, graaf van Avricourt. Ik bewonderde hem en hij vertrouwde me toe – hij was toen zestig – dat hij in mijn plaats ook naar de heroïne zou hebben gegrepen. Maar hij leefde in een ander tijdperk. Hij interesseerde zich voor de zelfkant van de maatschappij en leerde me Jeroen Bosch en de klassieke muziek waarderen, terwijl ik hem liet dansen op Marvin Gaye en Bob Marley.

Vrij. Persoonlijk was ik inmiddels bevrijd, maar ik wilde

de ingewikkelde knoop die ons gezin was ook graag ontwarren. Daarom organiseerde Sylvie toen ik negentien was een groepsgesprek. Iedereen was er, mijn vader en moeder, mijn zus en mijn oma.

In de categorie 'onopgeloste misverstanden' nam ik een voorsprong door Paquita eindelijk dé brandende vraag te stellen: 'En nu eens en voor altijd, ben jij mijn echte moeder of niet?'

'Hou daar toch eens over op! Eens en voor altijd, ik ben níet je echte moeder!'

Dat dacht ik al. Die hele geschiedenis, die al sinds mijn kinderjaren door mijn hoofd spookte, was niets anders dan de weerspiegeling van een gevoel dat veel dieper zat, het gevoel afgewezen te zijn, geen plaats te hebben in een conflict tussen ouders. Ik hoefde maar een foto van mijn moeder te bekijken om te weten dat ik als twee druppels water op háár leek. Mijn moeder was mijn moeder, geen twijfel mogelijk, en dat had ze ook bewezen. Bovendien maakte ik duidelijk dat ik niemand de schuld gaf van mijn vrije val, ook niet een in mijn kindertijd geboren misverstand. Dat zou te makkelijk zijn.

Ze zijn er allemaal. Ik arriveer met een zekere gelatenheid, maar ben in ieder geval blij dat we allemaal open kaart gaan spelen, dat we elkaar alles kunnen vertellen, wrede dingen, maar ook aardige en lieve. En ik voel me beschermd door Sylvie, die ervoor zorgt dat er iets goeds uit deze sessie voortkomt.

Ik open de sessie.

'Ik heb jullie hier bijeengebracht omdat ik denk dat er veel liefde is tussen ons. Het verbaast me dat ik dat nu pas besef. Maar we moeten allemaal de gelegenheid krijgen uiting te geven aan die liefde. Ik wil niet dat we doorgaan elkaar over en weer beschuldigingen naar het hoofd te slingeren, want dat heeft een verwoestende uitwerking op me. Ik heb het gevoel dat jullie pingpongen en ik het balletje ben. Het is niet de bedoeling dat we een beschuldigende vinger naar elkaar wijzen of berouw tonen, nee, het is de bedoeling dat we verdergaan, daar zijn we allemaal hard aan toe.'

Volgens Sylvie was mijn probleem het gevolg van een opstapeling van vergissingen en misverstanden, begaan door ons allemaal, en was het goed als we eindelijk een keer bij elkaar gingen zitten om ons hart te luchten. Ik had namelijk de indruk dat het wel en wee van ons gezin vooral werd bepaald door wat níet werd gezegd.

Sylvie had afwisselend met mijn vader en moeder gesproken. Het was haar gelukt ze te spreken te krijgen en ze aan het praten te krijgen, maar haar boodschap bleef versnipperd. Er was sprake van een communicatiestoornis tussen hen. Mijn moeder was altijd bang de ergernis of zelfs toorn van mijn vader te wekken, en dus praatten ze nooit echt met elkaar. Hoogstens via een tussenpersoon. Ik worstelde met een relationeel doolhof waarin dingen onuitgesproken bleven, gebrekkig werden verwoord of verkeerd werden begrepen. Ik was me bewust van de gevaren van mijn ziekte en was in het licht van een mogelijk naderende dood zeer gemotiveerd de anderen te begrijpen. De vraag was niet óf ik zelfmoord zou plegen, maar wannéér. Ik denk dat mijn ouders in die termen over mijn toekomst dachten: Of ze valt terug en schiet zichzelf een kogel door de kop, of ze valt niet terug en schiet zichzelf een kogel door de kop.

Ik wil geen zelfmoord plegen en ik wil niet weer aan de drugs, ik wil duidelijkheid. Ik wil dat iedereen de waarheid vertelt, zonder meteen met een beschuldigende vinger te wijzen. Er is geen directe schuldige aan te wijzen. Ik wil alleen een knot wol ontwarren.

Er is liefde, maar ook pijn en verdriet, onhandigheid, en tot dan toe heeft geen van ons woorden gevonden om daaraan uitdrukking te geven, zij niet, maar ik ook niet. Ik wil horen dat ze van me houden en ik wil mezelf horen zeggen dat ik van hen houd. Die behoefte is geboren uit het ultimatum van mijn aangekondigde dood. Ik heb haast.

Het verdriet van mijn moeder, haar berusting, de boulimia van mijn zus, de gebrekkige communicatie tussen mijn vader en zijn moeder, mijn oma… Als die sessie eerder had plaatsgevonden, toen mijn ouders uit elkaar gingen bijvoorbeeld, zou het heel anders zijn gelopen. Toen waren de wonden nog vers. Maar nu, jaren later heeft iedereen zich achter zijn eigen verdriet verschanst.

Destijds had mijn vader duidelijk kunnen maken dat hij

met die scheiding zijn kinderen niet opgaf, en mijn moeder dat ze de scheiding als een bevrijding ervoer, omdat er geen liefde meer tussen hen was. En allebei hadden ze duidelijk kunnen maken dat met de scheiding geen einde was gekomen aan hun onvoorwaardelijke liefde voor hun kinderen.

Ik denk dat Sylvie heeft bepaald in welke volgorde we aan het woord komen. We beginnen in ieder geval niet met mijn vader, om ons te beschermen tegen zijn vaste gewoonte uit alles wat een ander zegt een persoonlijk schuldgevoel te distilleren.

Mijn zus begint. Ze zegt dat ze zich vanaf het begin bewust is geweest van mijn probleem, maar dat ze was geschrokken van haar eigen onmacht. Dat ze zich schuldig voelde omdat ze alle aandacht naar zich toe trok, terwijl ze wist dat ik langzaam crepeerde. Maar ze had ook door dat ik wanhopig alles in het werk stelde om te voorkomen dat anderen het in de gaten kregen. Ze kon zich mijn vertwijfeling voorstellen, omdat ze die zelf ook voelde, maar daar op een andere manier uitdrukking aan gaf. In die tijd had ze me een boekje van Michel Tournier cadeau gedaan, *La fugue du Petit Poucet*, waarin de schrijver uitlegt dat Klein Duimpje de fout had gemaakt een verkeerde vader uit te zoeken. Ze wilde een boodschap overbrengen. Ze was nog maar een kind, anderhalf jaar ouder dan ik, maar ze wist precies op welk moment ik me in een krampachtig stilzwijgen terugtrok.

'Ik voelde dat ze zich opsloot, dat ze verdriet had, dat ze haar mond hield omdat ze niemand pijn wilde doen. Maar ik wist niet wat ik moest doen.'

Die ene zin roert me diep. Ik heb nooit geweten dat ze het wist. Ik kan mijn tranen niet binnenhouden.

Oma houdt het kort. Ze heeft niets in de gaten gehad, behalve dat ik agressief werd en dat ze niet wist waarom. Ze wist niet hoe ze moest helpen omdat ik volstrekt onbereikbaar was. De keren dat ik van huis was weggelopen, had ze zich zorgen gemaakt. Ze was bang geweest dat ik ontvoerd of verkracht zou worden. Het waarom van mijn escapades ontgaat haar.

Als mijn vader op zijn beurt het woord neemt, doet hij dat als vanouds met een verontschuldiging. Zijn persoonlijke problemen met emoties worden door anderen niet begrepen, niet zoals hij ze voelt in ieder geval. Zoals gewoonlijk sleurt hij zijn prilste kindertijd erbij, om met zijn keuze voor Paquita te eindigen. Het verbaast hem dat iedereen hem ontoegankelijk vindt, dat niemand met hem is komen praten.

Ik wil hier niet dieper op het verhaal van mijn vader ingaan.

Aan het begin van de bijeenkomst heb ik de wens uitgesproken dat iedereen eerlijk uit zou komen voor zijn gevoelens en emoties tijdens mijn puberteit. En mijn vader werpt inderdaad het masker af. Hij is op het ontroerende af welwillend, maar verliest zich al snel in zijn eigen problemen. Toch neemt hij het zichzelf kwalijk niets te hebben gezien. Maar ik wil juist dat iedereen dat zelfverwijt over het eigen falen loslaat. Ik zeg dat dan ook duidelijk.

'Jullie kunnen het ook niet hebben gezien, want ik wilde niet dat jullie je zorgen maakten. Jullie hadden in mijn ogen al genoeg aan je hoofd. Ik heb er echt alles aan gedaan om te voorkomen dat jullie merkten dat er iets aan de hand was. Jullie hebben het misschien niet in de gaten gehad, maar dat betekent niet dat jullie iets valt te verwijten. In die tijd zag ik ouders die bewust oogkleppen voor deden, die voor geen prijs de waarheid wilden weten, om maar niet over het eigen falen na te hoeven denken. Ik heb het getroffen, want mijn familieleden hebben tenminste de moed, nu ze weten wat er speelt, rond de tafel te gaan zitten om erover te praten.

Ik voelde me schuldig omdat ik niet in staat was nee te zeggen tegen de schim die ik op elke straathoek tegenkwam. Dat was een schim van mezelf. Gewapend met de beste wil van de wereld en overlopend van daadkracht viel ik niettemin herhaaldelijk terug, terwijl ik een moment eerder nog zo zeker van mezelf was geweest en categorisch had geweigerd terug te keren naar die hel en opnieuw het vertrouwen van anderen te beschamen. En elke keer dat ik er niet in slaagde nee te zeggen, voelde ik me minder waard. Die zelfverachting was voor mij echt een reden om te willen sterven. Tot ik zover was dat ik kon zeggen: "Ik moet zorgen dat ik niet terug kán vallen, ik moet me laten opsluiten."'

De sessie heeft bijna twee uur geduurd. Voor het eerst zijn ze allemaal van achter hun gebruikelijke personage tevoorschijn gekomen, zijn ze uit hun rol gestapt om me als gewone mensen tegemoet te treden; kwetsbaar en met beperkingen. En ze hebben uiting gegeven aan hun toewijding en zorg, aan hun liefde voor mij dus. Deze dag heb ik mijn eigen familie een stuk beter leren kennen. Met de beste bedoelingen, namelijk om mij te beschermen, waren er talloze leugens verteld, maar ik wilde geen leugens, ik wilde de waarheid weten.

Ik heb ze gevraagd me te vergeven. Me te vergeven dat ik niet heb ingezien dat ze van me hielden, dat ik een bron van zorg was terwijl ik dat juist wilde vermijden, dat ik niet wilde geloven dat ze me de helpende hand toestaken. 'We houden van je.' Ik heb het eindelijk gehoord. Een openbaring.

'Vergeet nooit me dat met zoveel woorden te vertellen!'

Als ik mijn zelfverkozen hel niet had overleefd, had ik die woorden nooit gehoord. Er was liefde genoeg, maar niemand had een manier gevonden die te uiten. Voorkom dat een puber denkt dat hij ongeliefd is, kom openlijk voor die liefde uit, maar zonder in een al te routineus 'ik houd van je' te verzanden. Zeg liever: 'Ik houd van je om wat je bent, je goede en je slechte kanten; ik houd niet van je omdat het nu eenmaal zo hoort, omdat ik je vader ben, of je moeder, of je zus, nee, ik houd van je omdat jíj het bent, om je anders zijn, om je persoonlijkheid. Ook al gedraag je je als een varken, toch houd ik van je, omdat ik weet hoeveel goeds er in je schuilt… Wees daar zuinig op. Je bent nu een schitterende plant, word de bloem die je wilt worden.'

Het abces was tijdens de sessie opengebarsten en leeggelopen en kon nu genezen. Ik geloof dat mijn vader er het idee aan heeft overgehouden dat hij me heeft 'gered'. Op een gegeven moment heeft hij zichzelf wijsgemaakt dat hij zijn handen niet van me had afgetrokken, dat hij er was, dat hij zich om me bekommerde, maar dat hij dat alleen te laat en in fasen had gedaan. Het is glashelder dat hij nooit heeft geweten hoe hij een vader moest zijn, onophoudelijk, steun moest bieden, het voorbeeld geven, er zijn, dag in dag uit. Hij heeft zelf nooit een vaderfiguur gehad om een voorbeeld aan te nemen.

Ik denk dat de toevallige ontmoeting met een zeker voor die tijd uitzonderlijk psychiater, die in staat was een ander de hand te reiken en tegelijkertijd vrij te laten, een deur te openen en die niet meteen in het slot te gooien, het me mogelijk heeft gemaakt van de drugs af te komen.

Ik denk dat de emotionele lacunes, en dus de tekortkomingen van mijn vader en moeder, hen erin hebben gehinderd oprecht en efficiënt met elkaar te communiceren, en dat de mist waarin hun relatie als gevolg daarvan gehuld ging het me onmogelijk heeft gemaakt de solide basis en heldere verhoudingen te vinden die nodig zijn om je als mens te ontwikkelen. Ook buiten het gezin vond ik geen enkel fundament, hoe zwak ook, dat als basis kon dienen voor verdere groei, iets dat als levensdoel kon dienen, niemand die op een leeftijd dat hoop onmisbaar is een passie voor het leven op me kon overbrengen.

Na de sessie heb ik veel geluk gehad.

Ten eerste omdat ik nog leef.

Ik heb me op het leven gestort en allerlei baantjes gehad. Ik denk dat ik alles heb geprobeerd, tot een voettocht door de Negev in Israël toe. In die woestijn heb ik mezelf op lichamelijk gebied werkelijk overstegen. Om in mijn levensonderhoud te kunnen voorzien heb ik allerlei opleidingen gedaan. Zo heb ik voor een enthousiaste chirurg gewerkt die ik zelfs aan de operatietafel heb geassisteerd. Hij heeft me warm gemaakt voor de studie van de natuurgeneeskunde en me daarmee een lonkend toekomstperspectief gegeven. Ik heb stukken voor een krant geschreven, en op een gegeven moment via massage de wondere wereld van de manuele therapie ontdekt. Daar bleek ik talent voor te hebben. Ik heb mezelf gedwongen gezond te leven, alleen gezonde dingen te eten, veel te sporten en me met planten en andere natuurlijke middelen en methoden te verzorgen. Ik ben mijn eigen proefkonijn geworden en mijn gezondheid ging met sprongen vooruit. Ik koesterde hoop op genezing, een hoop die ik immers als een soort cadeau had gekregen. En ik bén genezen. Op een goede dag was mijn lever volledig hersteld. Mijn bloed was weer zo zuiver als ik het van mijn moeder had gekregen. Het was een wonder. Statistisch gezien had ik een kans van een op een miljoen om het te overleven. Ik heb gewonnen.

Als kind had ik al de behoefte mezelf te overtreffen, boven mezelf uit te stijgen. Ik kan me mijn laatste vakantie met mijn vader in de bergen nog herinneren; ik was een jaar of tien. Ik had in de verte, hoog in de bergen, een sneeuwveldje gezien. Ogenschijnlijk onbereikbaar, maar ik moest en zou erheen.

'Oké, we proberen het, maar als we niet meer kunnen, gaan we terug,' had mijn vader gezegd, en hij was een ervaren wandelaar.

Hij dacht dat ik het niet zou volhouden, maar ik heb hem meegetroond tot de rand van het sneeuwveld. Eenmaal boven was ik innig tevreden; ik had een volstrekt onbenullig en kennelijk onbereikbaar doel behaald. Voor mijn vader mag het een onbeduidend voorval zijn geweest, voor mij was het een droom die werkelijkheid was geworden. Ik wilde een klaproos, of nog beter een gardenia worden in een wereld van cactussen. Hij wilde dat ik een cactus werd, net als hijzelf. Ik zou willen dat hij tegen me had gezegd: 'Word klaproos, mijn kind, want dat is je droom.'

12

Ik heb op weg naar mijn toekomst niet de gebaande paden gevolgd. Door mijn puberteit en mijn chaotische schooljaren heb ik vooral op mijn instinct leren vertrouwen. Ik herinner me dat ik op de basisschool al liever gedichten las dan sommen maakte. Als kind zag ik mezelf aan de oever van een lagune staan, terwijl ik over de blauwgroene uitgestrektheid keek, met aan elke hand een kind. Die droom is werkelijkheid geworden. Ik had behoefte aan natuur, aan puurheid en eenvoud in menselijke verhoudingen. Behoefte aan complete genezing.

Als ik twintig ben, schrijf ik me in op een wereldvermaarde privéschool om het diploma natuurgeneeskunde te halen. Alles wat ik leer, breng ik ook in de praktijk. Ik eet gezond: fruit, groenten, witte rijst, groentesoep. Om mijn lichaam te zuiveren houd ik me twee keer per week aan een speciaal dieet van een dag water en kruidenthee en een dag met alleen gekookte groenten. Mijn leraar, een fantastisch mens, neemt me onder zijn hoede.

Ik rijg de diploma's aaneen: natuurgeneeskunde, fytotherapie, aromatherapie, balneotherapie, thalassotherapie, biologische voeding. Mijn leraar behandelt me terwijl hij doceert. Hij kent mijn gezondheidstoestand en de risico's, maar hij ziet ook hoe verbeten ik voor het leven vecht. 'Laten we het avontuur aangaan,' heb ik tegen hem gezegd. 'Wat kan me gebeuren? Ze hebben me al verteld dat ik doodga, dus als ze gelijk krijgen, heb ik u niets te verwijten. Maar dan wil ik in ieder geval onder minder beroerde omstandigheden doodgaan!'

Ik studeer 's avonds, loop in de weekeinden stage en volg seminars. Ik betaal mijn opleidingen zelf en kom tijdens al dat blokken in contact met een geweldige masseuse. Zij brengt me de kneepjes van het vak bij, en doet dat met het geduld van iemand die een ruwe diamant heeft ontdekt en die met grote toewijding slijpt en polijst tot het volledige potentieel aan de dag is getreden. Mijn handen kunnen masseren, een lichaam voelen, begrijpen en verzorgen. De ontmoeting met haar is weer een nieuwe openbaring.

En dat is alles wat het waakvlammetje dat in een ieder van ons brandt nodig heeft om het vuur van de passie te ontsteken.

Maar werken in Parijs en het leven achter gesloten deuren valt me steeds zwaarder. Het contrast tussen mijn dorst naar leven en de zinloosheid van het dagelijkse stadse bestaan is schrijnend en het lukt me niet me aan die alledaagsheid aan te passen. 'Daarvoor heb je niet overleefd,' zeg ik tegen mezelf.

Ik probeer zo vaak mogelijk aan het bedompte Parijs te ontsnappen en ga dan naar de Midi, om de zee te kunnen zien, en het bijzondere Provençaalse licht. Lichamelijk ben ik genezen, maar de droom die ik als kind al koesterde is nog niet verwezenlijkt. De vrijheid.

Op een dag ontmoet ik een man, een echte Parijzenaar, een stedeling in hart en nieren, modefotograaf. Hij neemt me mee naar Tahiti, waar hij opnames moet maken. Het is een cultuurschok. Ik wil nooit meer terug. Terwijl hij hongert naar grootsteedse geneugten als een goed gevulde koelkast, een tv, kroegen en disco's, zwerf ik blootsvoets over het eiland, verbaasd en opgetogen tegelijk dat de grapefruits in de tuin van de buren voor het oprapen liggen. 'Lekker hè? Wil je er nog meer? Raap ze maar op, hoor,' zegt de buurvrouw. Hier is mijn gedroomde leven. Ik vlieg terug naar Parijs, kijk naar de hakken onder mijn schoenen, mijn pullovers, en het is definitief voorbij. Ineens vervult het me met afschuw: de deur van mijn appartement, de sleutel om de bunker af te sluiten, de speciale, geheime code nodig om de buitenwereld toe te laten. Genoeg! Ik wil niet langer masseren, ik ben die jonge vrouwen, modellen, de mooie jurken en het mooi zijn moe. Het stemt me triest. Op een gegeven moment heb ik genoeg van de oppervlakkigheid van dat bestaan. 'Ik leef een leugen,' zeg ik tegen mezelf.

De tweede gebeurtenis die mijn droom dichterbij brengt, is mijn ontmoeting met Bud, een jeugdvriend die ik aan de mediterrane kust toevallig tegen het lijf loop. Ook hij heeft een hel overleefd, maar híj heeft zijn droom al verwezenlijkt. Hij leeft en werkt op een schip en praat honderduit over eilanden, zonsondergangen, de wind op zijn huid, dolfijnen, baaien badend in het eerste licht van de nieuwe dag en blote voeten in het warme zand...

'En jij, Hélène, wat wil jij worden?'

Ik woon dan dus in Parijs en leef in een luxe die het resultaat is van mijn terugkeer naar het leven, maar het is niet het authentieke leven dicht bij de natuur waarvan ik altijd heb gedroomd. De ontmoeting schudt het verlangen naar natuurlijke indrukken en gevoelens dat in me sluimert ruw wakker. Ik heb de keus. Of ik leef mijn niet-onaangename, gezapige Parijse leven, of ik luister naar de stem van mijn hart.

Ik heb een soort kernoorlog overleefd, maar in het heetst van de strijd ben ik vergeten dat Jarv en ik in het begin ook al praatten over eilandjes, oceanen, schepen en een ongekunsteld leven met ongekunstelde mensen. Jarv is gesneuveld in die heroïne-oorlog, zoals zoveel anderen.

Ik ben het aan mezelf als overlevende verplicht te geloven in de realiteit van die droom. Ik wil niet sterven met een onvervuld verlangen. Het leven biedt me de keus. Als ik die droom niet verwezenlijk, pleeg ik een vorm van verraad. *Adieu Paris*, ik ga naar zee.

De eerste stap. Ik leg mijn massagetafel en de eindscriptie die ik bijna af heb in mijn autootje, rijd naar de Middellandse Zee en betrek een klein appartement boven een garage. Bovendien besluit ik met Bud een reis naar de Canarische Eilanden te maken. Het begin van de droom belooft niet veel goeds. Ik ben nog maar net in Madrid, of mijn auto wordt gestolen, en daarmee alles wat erin ligt: mijn skates en, erger nog, mijn eindscriptie, waaraan ik zo hard heb gewerkt. Bud maakt me uit voor 'rampenmagneet' en vertrekt zonder mij.

Ik ga terug naar Frankrijk en sluit me drie maanden op bij vrienden die een privéstrandje aan de Middellandse Zee hebben om mijn werk opnieuw uit te tikken. Van de vroege ochtend tot de late avond rammel ik op een oude schrijfmachine. Ik verdien de kost – veel meer kan ik er ook niet van betalen – als schipper bij een waterskischool, en ik masseer iedereen in mijn directe omgeving die er behoefte aan heeft. Mond-tot-mondreclame doet de rest. Ze vragen me een kuur te organiseren in een nabijgelegen luxehotel aan de kust. Ze vragen me bovendien een evenwichtig menu samen te stellen, wat ik op grond van mijn opleiding mag doen.

De eilanddroom ligt nog steeds stevig verankerd in mijn brein, maar de boot steekt nog niet van wal. Tot het zover is, zoek ik wat alle vrouwen zoeken: een partner. En ik verwacht mijn eerste kind.

Ik was graag tussen de dolfijnen bevallen, maar dat is niet mogelijk. Om mijn droom zo dicht mogelijk te benaderen, besluit ik onder water van mijn dochter te bevallen. Ik oefen mijn ademhaling en langdurige apneus om de weeën zo pijnloos mogelijk te laten verlopen. Tijdens mijn omzwervingen heb ik de 'dolfijnmens' Jacques Mayol leren kennen. Hij laat me kennismaken met apneuduiken en de wereld van dolfijnen.

De nacht van de bevalling ben ik alleen thuis. Ik breng mijn kindje dan ook in mijn eentje ter wereld. 'Het is vier uur in de ochtend, u bent nog niet zover, houd de ontsluiting van de baarmoederhals in de gaten en bel me later terug,' zegt de arts. Hij heeft geen haast, want ik heb nog geen pijn. Ik voel alleen beweging in mijn buik, pijnloze weeën.

En dus doe ik alles zelf. Als ik de ontsluiting controleer, breken mijn vliezen. De dokter bellen heeft geen nut meer, want ook al zou hij zich haasten, dan zou het nog zeker een half uur duren voor hij op de stoep stond. Na de eerstvolgende wee houd ik het hoofdje al in mijn handen. Geen paniek. Dit is de gewoonste zaak van de wereld. In de dierenwereld doet moeder het ook in haar eentje. Je hebt ook niet veel keus, denk ik, en verzink in gebed: 'God, nu heb ik Uw hulp toch echt nodig!' Binnen een paar minuten houd ik de baby in mijn handen. Extase. Een uitzonderlijk visioen, ik heb leven voortgebracht. Marie ademt en ik kijk naar de streng die haar nog met mij verbindt. Ik moet mijn dochter dus zelf haar vrijheid schenken.

Ik weet dat baby's ongeveer twintig minuten na de bevalling hun longetjes gaan gebruiken en dat ze tot die tijd via de navelstreng zuurstof van hun moeder krijgen. Ik pak een schaar, ontsmettingsmiddel en borduurgaren – lavendelkleurig borduurgaren, waarom ook niet? Ik doop het in alcohol, dep het een beetje droog, leg mijn baby op een handdoek naast me, bind de ene kant van de navelstreng af, vervolgens de andere en voel of ik hem nog voel kloppen.

'Mijn liefste Marie, hiermee schenk ik je het leven,' zeg ik plechtig.

Ik knip de navelstreng tussen de twee lavendelblauwe draadjes door. Een magisch moment. Als de navelstreng eenmaal is doorgeknipt, begint mijn dochter zelfstandig te ademen. Dan pas pak ik de telefoon en bel een ambulance om ons naar het ziekenhuis te laten vervoeren.

De verpleegkundige ziet onmiddellijk dat de nageboorte er nog niet uit is. Ze helpt me een laatste wee op te wekken, legt de placenta in een schaaltje en vertrekt weer. En de baby dan?

'Daar zullen wij wel voor zorgen.'

Marie is om vijf uur in de ochtend geboren, en tegen de

tijd dat ik bij het ziekenhuis arriveer, vindt daar net de wisseling van de wacht plaats. Ik blijf alleen op de behandeltafel achter en wacht tot ze mijn baby brengen, maar er gebeurt niets. Ik klim van de tafel, ga op onderzoek uit en kom een andere verpleegkundige tegen.

'Maar wat doet u al uit bed?'

'Ik zoek mijn baby. Niemand heeft haar bij me gebracht. Waar is ze?'

'Ga eerst maar weer snel liggen, straks krijgt u nog een bloeding...'

'Ik ga alleen liggen als u me belooft mijn baby te brengen.'

'Ik beloof dat we haar meteen brengen, en nu naar bed!'

Ik loop terug en strek me ongeduldig uit op de behandeltafel. De nageboorte ligt nog steeds op zijn plek. Ik heb een plan met die placenta. Ik wil hem begraven en er een boom boven planten. Dat is een oude christelijke traditie die in Polynesië nog in ere wordt gehouden. Als er een kind is geboren, wordt de placenta begraven en een fruitboom op dezelfde plek geplant. Het kind groeit, de boom loopt uit en de vruchten weerspiegelen diens ontwikkeling. Symbolisch geef je het op die manier terug aan de aarde. Ik wil het heel graag doen, maar durf er niet om te vragen omdat ik bang ben voor een aanhangster van een of andere duistere sekte te worden aangezien. Of op zijn minst voor een zonderling. Als er niemand komt, 'ontvoer' ik mijn nageboorte en verstop die in een plastic zak tussen de rest van mijn spullen.

Als de volgende verpleegkundige eindelijk langskomt om me mijn kindje te brengen, moppert ze alleen op haar collega van de nachtdienst, die het gebruikte schaaltje wel eens had mogen schoonmaken!

Ik begraaf de placenta zo snel mogelijk in de tuin van mijn moeder. Marie krijgt een citroenboom. Ze is nog aan de borst als haar zusje Pauline ter wereld komt, wederom een thuisbevalling, maar dit keer onder toezicht van een vroedvrouw. Voor mijn tweede dochter plant ik een sinaasappelboom.

Marie slaapt als haar zusje wordt geboren. Als ze wakker wordt, moet ze bezorgd toekijken hoe de nieuwkomer met haar neusje vergeefs probeert een tepel te vinden.

'Mama, Pliene melk! Wacht Pliene!' kraait ze, omdat ze nog moeite heeft met de naam van haar zusje. Ze pakt mijn borst en zuigt aan de tepel om de melk te laten komen.

'Kijk Pliene, melk!'

Dat moment is het mooiste geschenk van mijn leven. Pauline drinkt aan de borst en Marie nestelt zich aan de andere kant en doet hetzelfde, terwijl ze met haar hand liefdevol haar zusje helpt. Ze kijkt opgetogen toe.

Toen ik nog klein was, wilde ik op een eiland wonen en het geheim van een lang leven ontdekken. Voor minder deed ik het niet. Ze hebben me toen een sonnet van José Maria de Heredia geleerd, *De veroveraars*, en dat heeft een diepe indruk op me gemaakt. Ik zag grote vogels over uitgestrekte oceanen vliegen. Ik wist niet dat Palos de Moguer de Spaanse haven was van waaruit veroveraars als Columbus waren vertrokken, en dat Marco Polo Japan Cipango had gedoopt. Ik droomde erbij weg...

Als een vlucht giervalken uit het geboortegraf,
Moe in hooghartige ellende te verkwijnen,
Voeren uit Palos de Moguer elk kapitein en
Zijn troep beroesd van ruwe heldendromen af.

Men ging 't metaal veroveren, de toverstaf
Die lag te rijpen in Zipango's verre mijnen,
En de passaatwinden deden diep hun sprieten deinen
Naar waar mysterie 's werelds westerrand omgaf.

Door 's avonds op een grootse dageraad te hopen
Lieten zij de azuurglans van de zee der Tropen
Hun slaap begoochelen met een spiegel van goud;

Of op de boeg van hun blanke karvelen zagen
Zij in een uitspansel dat nog nooit was aanschouwd
*Vanuit het Oceaandiep nieuwe sterren dagen.**

* [Noot van de vertaler] Het sonnet van José Maria de Heredia is hier opgenomen in de vertaling van Paul Claes (De Revisor 1984, 5, p. 35).

Ik leef mijn droom. Ik woon en werk in Polynesië, op een wonderschoon eiland midden in de Stille Oceaan. Toen ik eenmaal in het reine was gekomen met mezelf, ging de rest vanzelf, als bij toverslag.

Als volwassene hervond ik de energie van mijn jeugd. Ik geloofde hartstochtelijk in al mijn onwaarschijnlijke dromen en heb ze stuk voor stuk verwezenlijkt. Dat ik nu in mijn gedroomde werkelijkheid leef, is uiteindelijk te danken aan het feit dat ik hartstochtelijk bleef geloven in de dromen die ik als kind koesterde. Ik ben een gardenia geworden en creëer plekken van puur geluk waar mijn professionele roeping in harmonie met de omgeving tot volle wasdom komt, voor een ieder die zoekende is, die soms van het levenspad afdwaalt of nog altijd gelooft in de droom van het paradijs op aarde.

Op een dag heb ik de trossen losgegooid om naar mijn eind van de wereld te trekken, samen met mijn diploma's, mijn twee dochters en mijn jeugddromen.

Mijn persoonlijke overwinning.

SOCIETAS

essays in political and cultural criticism

2007–2008

Societas: Essays in Political and Cultural Criticism

Public debate has been impoverished by two competing trends. On the one hand the trivialization of the media means that in-depth commentary has given way to the ten-second soundbite. On the other hand the explosion of knowledge has increased specialization, and academic discourse is no longer comprehensible.

This was not always so, especially for political debate, but in recent years the tradition of the political pamphlet has declined, as publishers found that short books were uneconomic. However the introduction of the digital press makes it possible to re-create a more exciting age of publishing. *Societas* authors are all experts in their own field, but these accessible essays are written for a general audience.

The books are available retail at the price of £8.95/$17.90 from your local bookshop, or using the order form in the main Imprint Academic catalogue, or online at imprint-academic.com/books. However you can obtain the current volume on bi-monthly subscription for £5/$10 (back volumes only **£2.50** each for new subscribers), using the Direct Debit form on the back cover of this pamphlet. Details and updates at **imprint-academic.com/societas**

The Right Road to Radical Freedom

Tibor R. Machan

This work focuses on the topic of freedom. The author starts with the old issue of free will – do we as individual human beings choose our conduct, at least partly independently, freely? He comes down on the side of libertarians who answer Yes, and scorns the compatibilism of philosophers like Daniel Dennett, who try to rescue some kind of freedom from a physically determined universe. From here he moves on to apply his belief in radical freedom to areas of life such as religion, politics, and morality, tackling subjects as diverse as taxation, private property, justice and the welfare state.

Tibor Machan is no mere theoretician. He was smuggled out of Hungary in 1953, as a 14-year old, and served in the US Air Force before taking up academic life. He has written many books and presents his robust views in a trenchant no-nonsense style. The author teaches ethics at Chapman University and is a research fellow at Stanford University's Hoover Institution.

128 pp., £8.95/$17.90, 9781845400187 (pbk.), January 2007, *Societas,* Vol.26

Paradoxes of Power: Reflections on the Thatcher Interlude

Sir Alfred Sherman (1919-2006)

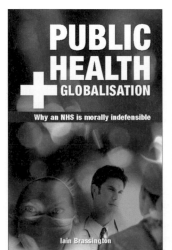

Thumb through the index of any study of the Thatcher years and you will come across the name of Sir Alfred Sherman. In her memoirs Lady Thatcher herself pays tribute to his 'brilliance', the 'force and clarity of his mind', his 'breadth of reading and his skills as a ruthless polemicist'. She credits him with a central role in her achievements.

Born in 1919 in London's East End, until 1948 Sherman was a Communist and fought in the Spanish Civil War. But he ended up a free-market crusader. Sherman examines the origins and development of 'Thatcherism', but concludes that it was an 'interlude' and that the post-war consensus remains largely unscathed.

'These reflections by Thatcherism's inventor are necessary reading.'
Sir John Hoskyns, *Salisbury Review*
'This book should be read by anyone examining this period.' **Margaret Thatcher**
'These essays are highly relevant to the politics of today.' **Norman Tebbit**
'Sherman suplied much of the drive to turn back the tide of collectivism.' *Guardian*
'Sherman made a crucial and beneficient contribution to modern Britain.' *Independent*

edited by Mark Garnett, University of Lancaster
200 pp., £8.95/$17.90, 9781845400927 (pbk.), March 2007, *Societas,* Vol.27

Public Health & Globalisation

by Iain Brassington

This book claims that the NHS is morally indefensible. There is a good moral case in favour of a *public* health service, but these arguments do not point towards a *national* health service, but to something that looks far more like a *transnational* health service.

Drawing on Peter Singer's famous arguments in favour of a duty of rescue, the author, who lectures in law at Manchester University argues that the cost of the NHS is unjustifiable. If we accept a duty to save lives when the required sacrifice is small, then we ought also to accept sacrifices in the NHS in favour of foreign aid. This does not imply that the NHS is wrong; just that it is hard to justify speding thousands of pounds on one person in Britain when the money could save many more lives elsewhere.

96 pp., £8.95/$17.90, 9781845400798 (pbk.), May 2007, *Societas,* Vol.28

Why Spirituality is Difficult for Westerners
David Hay

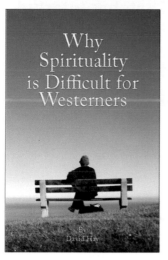

A zoologist by profession, David Hay holds that religious or spiritual awareness is biologically natural to the human species and has been selected for in organic evolution because it has survival value. Although naturalistic, this hypothesis is not intended to be reductionist with regard to religion. Indeed, it implies that all people, even those who profess no religious belief, nonetheless have a spiritual life.

This book documents the repudiation of religion in the West, describes the historical and economic context of European secularism, and considers recent developments in our understanding of the neurophysiology of the brain as it relates to religious experience.

Dr Hay is Honorary Senior Research Fellow at the University of Aberdeen.

96 pp., £8.95/$17.90, 9781845400484 (pbk.), July 2007, *Societas,* Vol.29

Earthy Realism: The Meaning of GAIA
Mary Midgley (ed.), James Lovelock (foreword)

GAIA, named after the ancient Greek mother-goddess, is the notion that the Earth and the life on it form an active, self-maintaining whole. By its use of personification it attacks the view that the physical world is inert and lifeless.

It has a *scientific* side, as shown by the new university departments of earth science which bring biology and geology together to study the continuity of the cycle. It also has a visionary or *spiritual* aspect. What the contributors to this book believe is needed is to bring these two angles together. With global warming now an accepted fact, the lessons of GAIA have never been more relevant and urgent.

Contributors include James Lovelock, Mary Midgley, Richard Betts, Susan Canney, Maggie Gee, Brian Goodwin, Stephan Harding, John Mead, David Midgley, Anne Primavesi, Joan Solomon, Pat Spallone, John Turnbull, David Wilkinson and John Ziman.

Mary Midgley is a philosopher with an interest in relations between humans and the rest of nature (especially animals), in the sources of morality, and in the tendency of 'scientism' to become a religion.

120 pp., £8.95/$17.90, 9781845400804 (pbk.), Sept. 2007, *Societas,* Vol.30

Joseph Conrad Today

Kieron O'Hara

This book argues that the novelist Joseph Conrad's work speaks directly to us in a way that none of his contemporaries can. Conrad's scepticism, pessimism, emphasis on the importance and fragility of community, and the difficulties of escaping our history are important tools for understanding the political world in which we live. He is prepared to face a future where progress is not inevitable, where actions have unintended consequences, and where we cannot know the contexts in which we act.

Heart of Darkness uncovers the rotten core of the Eurocentric myth of imperialism as a way of bringing enlightenment to 'native peoples' – lessons which are relevant once more as the Iraq debacle has undermined the claims of liberal democracy to universal significance.

The result can hardly be called a political programme, but Conrad's work is clearly suggestive of a sceptical conservatism of the sort described by the author in his 2005 book *After Blair: Conservatism Beyond Thatcher*. The difficult part of a Conradian philosophy is the profundity of his pessimism – far greater than Oakeshott, with whom Conrad does share some similarities (though closer to a conservative politician like Salisbury). Conrad's work poses the question of how far we as a society are prepared to face the consequences of our ignorance.

96 pp., £8.95/$17.90, 9781845400668 (pbk.), Nov. 2007, *Societas,* Vol.31

Who Holds the Moral High Ground?

Colin J Beckley and Elspeth Waters

Meta-ethical attempts to define concepts such as 'goodness', 'right and wrong', 'ought' and 'ought not', have proved largely futile, even over-ambitious. Morality, it is argued, should therefore be directed primarily at the reduction of suffering, principally because the latter is more easily recognisable and accords with an objective view and requirements of the human condition. All traditional and contemporary perspectives are without suitable criteria for evaluating moral dilemmas and without such guidance we face the potent threat of sliding to a destructive moral nihilism. This book presents a possible set of defining characteristics for the foundation of future moral evaluations and engagements, taking into consideration that the historically maligned female gender may be better disposed to ethical leadership.

96 pp., £8.95/$17.90, 9781845401030 (pbk.), January 2008, *Societas,* Vol.32

Froude Today

John Coleman

A.L. Rowse called fellow-historian James Anthony Froude the 'last great Victorian awaiting revival'. The question of power is the problem that perplexes every age: in his historical works Froude examined how it applied to the Tudor period, and defended Carlyle against the charge that he held the doctrine that 'Might is Right'.

Froude applied his analysis of power to the political classes of his own time and that is why his writings are just as relevant today. The historian and the prophet look into the inner meaning of events – and that is precisely what Froude did – and so are able to make judgments which apply to ages far beyond their own. The last chapters imagine what Froude would have said had he been here today.

120 pp., £8.95/$17.90, 9781845401047 (pbk.), March 2008, *Societas,* Vol.33

The Enemies of Progress

Austin Williams

This polemical book examines the concept of sustainability and presents a critical exploration of its all-pervasive influence on society, arguing that sustainability, manifested in several guises, represents a pernicious and corrosive doctrine that has survived primarily because there seems to be no alternative to its canon: in effect, its bi-partisan appeal has depressed critical engagement and neutered politics.

It is a malign philosophy of misanthropy, low aspirations and restraint. This book argues for a destruction of the mantra of sustainability, removing its unthinking status as orthodoxy, and for the reinstatement of the notions of development, progress, experimentation and ambition in its place.

Al Gore insists that the 'debate is over'. while musician K.T. Tunstall, spokesperson for 'Global Cool', a campaign to get stars to minimize their carbon footprint, says 'so many people are getting involved that it is becoming really quite uncool *not* to be involved'. This book will say that it might not be cool, but it is imperative to argue against the moralizing of politics so that we can start to unpick the contemporary world of restrictive, sustainable practices.

The author is the director of the Future Cities Project and tutor at the Royal College of Art and Bartlett School of Architecture and the Built Environment.

96 pp., £8.95/$17.90, 9781845400989 (pbk.), May 2008, *Societas,* Vol.34

Debating Humanism
Dolan Cummings (ed.)

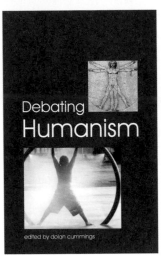

More than to sleep and feed, to be human is to debate, to argue and to engage with the ideas and opinions of others. And a recurring theme is the very question of what it means to be human, and the nature of our relationship to the world, to each other and to gods or God. This has never been an idle debate: it is intimately bound up with how society is organised and where authority lies. Broadly speaking, the humanist tradition is one in which it is we as human beings who decide for ourselves what is best for us, and are responsible for shaping our own societies. For humanists, then, debate is all the more important, not least at a time when there is much discussion about the unexpected return of religion as a political force determining how we should live.

This collection of essays follows the Institute of Ideas' inaugural Battle of Ideas festival at the Royal College of Art in London in October 2005. Contributors include Josie Appleton, Simon Blackburn, Robert Brecher, Andrew Copson, Dylan Evans, Revd. Anthony Freeman, Frank Furedi, A.C. Grayling, Dennis Hayes, Elisabeth Lasch-Quinn, Kenan Malik and Daphne Patai.

96 pp., £8.95 / $17.90, 9781845400699 (pbk.), *Societas*, Vol.25

Village Democracy
John Papworth

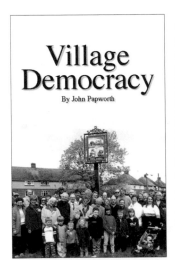

'A civilisation that genuinely reflects all that human beings long for and aspire to can only be created on the basis of each person's freely acknowledged power to decide on each of the many questions that affect his life.' In the forty years since he wrote those words in the first issue of his journal *Resurgence*, John Papworth has not wavered from that belief. This latest book passionately restates his argument for radical decentralisation as the only answer to the current crises in politics, trade, ecology and international affairs.

Revd. John Papworth is founding editor of *Resurgence* and *Fourth World Review*. His many books including *Small Is Powerful*.

'If we are to stand any chance of surviving we need to heed Papworth's call for decentralisation'
Zac Goldsmith, *The Ecologist*

'If anything will save this world and in time enough, it will be the insightfulness and wisdom John Papworth displays in this little volume.' **Kirkpatrick Sale**

96 pp., £8.95 / $17.90, 9781845400644 (pbk.), *Societas*, Vol.24

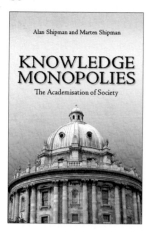

Knowledge Monopolies
Alan Shipman & Marten Shipman

Historians and sociologists chart the *consequences* of the expansion of knowledge; philosophers of science examine the *causes*. This book bridges the gap. The focus is on the paradox whereby, as the general public becomes better educated to live and work with knowledge, the 'academy' increases its intellectual distance, so that the nature of reality becomes more rather than less obscure.

'A deep and searching look at the successes and failures of higher education.' *Commonwealth Lawyer*

'A must read.' *Public* (The Guardian)

£8.95/$17.90, 9781845400286 (pbk), *Societas* V.20

The Referendum Roundabout
Kieron O'Hara

A lively and sharp critique of the role of the referendum in modern British politics. The 1975 vote on Europe is the lens to focus the subject, and the controversy over the referendum on the European constitution is also in the author's sights.

The author is a senior research fellow at the University of Southampton and author of *Plato and the Internet*, *Trust: From Socrates to Spin* and *After Blair: Conservatism Beyond Thatcher* (2005).

£8.95/$17.90, 9781845400408 (pbk), *Societas* V.21

The Moral Mind
Henry Haslam

The reality and validity of the moral sense took a battering in the last century. Materialist trends in philosophy, the decline in religious faith, and a loosening of traditional moral constraints added up to a shift in public attitudes, leaving many people aware of a questioning of moral claims and uneasy with a world that has no place for the morality. Haslam shows how important the moral sense is to the human personality and exposes the weakness in much current thinking that suggests otherwise.

'Marking a true advance in the discussion of evolutionary explanations of morality, this book is highly recommended for all collections.'
David Gordon, *Library Journal*

'An extremely sensible little book. It says things that are really rather obvious, but which have somehow got forgotten.' **Mary Midgley**

£8.95/$17.90, 9781845400163 (pbk), *Societas* V.22

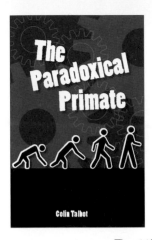

The Paradoxical Primate
Colin Talbot

This book seeks to explain how human beings can be so malleable, yet have an inherited set of instincts. When E.O. Wilson's *Consilience* made a plea for greater integration, it was assumed that the traffic would be from physical to human science. Talbot reverses this assumption and reviews some of the most innovative developments in evolutionary psychology, ethology and behavioural genetics.

'Talbot's ambition is admirable…a framework that can simultaneously encompass individualism and concern for collective wellbeing.' *Public* (The Guardian)

£8.95/$17.90, 9780907845850 (pbk), *Societas* V.14

Putting Morality Back Into Politics
Richard D. Ryder

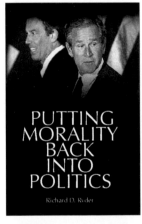

Ryder argues that the time has come for public policies to be seen to be based upon moral objectives. Politicians should be expected routinely to justify their policies with open moral argument. In Part I, Ryder sketches an overview of contemporary political philosophy as it relates to the moral basis for politics, and Part 2 suggests a way of putting morality back into politics, along with a clearer emphasis upon scientific evidence.

Trained as a psychologist, Ryder has also been a political lobbyist, mostly in relation to animal welfare.

£8.95/$17.90, 9781845400477 (pbk), *Societas* V.23

Tony Blair and the Ideal Type
J.H. Grainger

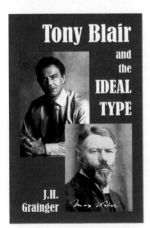

The 'ideal type' is Max Weber's hypothetical leading democratic politician, whom the author finds realized in Tony Blair. He is a politician emerging from no obvious mould, treading no well-beaten path to high office, and having few affinities of tone, character or style with his predecessors. He is the Outsider or Intruder, not belonging to the 'given' of British politics and dedicated to its transformation. (The principles outlined are also applicable. across the parties, in the post-Blair period.) The author was reader in political science at the Australian National University and is the author of *Character and Style in English Politics* (CUP).

'A brilliant essay.' **Simon Jenkins**, *Sunday Times*
'A scintillating case of the higher rudeness.' *Guardian*

£8.95/$17.90, 9781845400248 (pbk), *Societas* V.15

The Great Abdication
Alex Deane

According to Deane, Britain's middle class has abstained from its responsibility to uphold societal values, resulting in the collapse of our society's norms and standards. The middle classes must reinstate themselves as arbiters of morality, be unafraid to judge their fellow men, and follow through with the condemnation that follows when individuals sin against common values.

'[Deane] thinks there is still an element in the population which has traditional middle-class values. Well, maybe.' **George Wedd**, *Contemporary Review*

£8.95/$17.90, 9780907845973 (pbk), *Societas* V.16

Who's Afraid of a European Constitution?
Neil MacCormick

This book discusses how the EU Constitution was drafted, whether it promises any enhancement of democracy in the EU, whether it implies that the EU is becoming a superstate, and whether it will strengthen the principle of subsidiarity and the protection of human rights.

Sir Neil MacCormick is professor of public law at Edinburgh University. He was an MEP and a member of the Convention on the Future of Europe.

'Those with a passing curiosity should find [the book] informative. Those already familiar... should find it entertaining and thought provoking.' *Scolag Legal J.*

£8.95/$17.90, 9781845392 (pbk), *Societas* V.17

Darwinian Conservatism
Larry Arnhart

The Left has traditionally assumed that human nature is so malleable, so perfectible, that it can be shaped in almost any direction. Conservatives object, arguing that social order arises not from rational planning but from the spontaneous order of instincts and habits. Darwinian biology sustains conservative social thought by showing how the human capacity for spontaneous order arises from social instincts and a moral sense shaped by natural selection. The author is professor of political science at Northern Illinois University.

'Strongly recommended.' *Salisbury Review*

'An excellent book.' **Anthony Flew**, *Right Now!*

'Conservative critics of Darwin ignore Arnhart at their own peril.' *Review of Politics*

96 pp., £8.95/$17.90, 9780907845997 (pbk.), *Societas*, Vol. 18

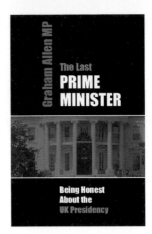

The Last Prime Minister
Graham Allen MP

This book shows how Britain has acquired an executive presidency by stealth. It is the first ever attempt to codify the Prime Minister's powers, many hidden in the mysteries of the royal prerogative. This timely second edition takes in new issues, including Parliament's impotence over Iraq.

'Iconoclastic, stimulating and well-argued.' **Vernon Bogdanor**, *Times Higher Education Supplement*

'Well-informed and truly alarming.' **Peter Hennessy**

'Should be read by anybody interested in the constitution.' **Anthony King**

£8.95/$17.90, 9780907845416 (pbk), *Societas* V.4

Doing Less With Less: Britain More Secure
Paul Robinson

Notwithstanding the rhetoric of the 'war on terror', the world is now a far safer place. However, armed forces designed for the Cold War encourage global interference through pre-emption and other forms of military interventionism. We would be safer with less. The author, an ex-army officer, is assistant director of the Centre for Security Studies at Hull University.

'Robinson's criticisms need to be answered.' **Tim Garden**, *RUSI Journal*

'The arguments in this thesis are important and should be acknowledged by the MOD.' **Major General (Retd.) Patrick Cordingley DSO**

£8.95/$17.90, 9781845400422 (pbk), *Societas* V.19

The Snake that Swallowed its Tail
Mark Garnett

Liberal values are the hallmark of a civilised society, but depend on an optimistic view of the human condition, Stripped of this essential ingredient, liberalism has become a hollow abstraction. Tracing its effects through the media, politics and the public services, the book argues that hollowed-out liberalism has helped to produce our present discontent. Garnett is the co-author of *The Essential A-Z Guide to Modern British History.*

'This arresting account will be read with profit by anyone interested in the role of ideas in politics.' **John Gray**, *New Statesman*

'A spirited polemic addressing the malaise of British politics.' **Michael Freeden**, *The European Legacy*

£8.95/$17.90, 9780907845881 (pbk), *Societas* V.12

The Party's Over
Keith Sutherland

This book questions the role of the party in the post-ideological age and concludes that government ministers should be appointed by headhunters and held to account by a parliament selected by lot.

'Sutherland's model of citizen's jurics ought to have much greater appeal to progressive Britain.' *Observer*

'An extremely valuable contribution.' *Tribune*

'A political essay in the best tradition – shrewd, erudite, polemical, partisan, mischievous and highly topical.' *Contemporary Political Theory*

£8.95/$17.90, 9780907845515 (pbk), *Societas* V.10

Democracy, Fascism & the New World Order
Ivo Mosley

Growing up as the grandson of Sir Oswald, the 1930s blackshirt leader, made Ivo Mosley consider fascism with a deep and acutely personal interest. Whereas conventional wisdom sets up democracy and fascism as opposites, to ancient political theorists democracy had an innate tendency to lead to extreme populist government, and provided unscrupulous demagogues with the ideal opportunity to seize power. In *Democracy, Fascism and the New World Order* Mosley argues that totalitarian regimes may well be the logical outcome of unfettered mass democracy.

'Brings a passionate reasoning to the analysis'. *Daily Mail*

£8.95/$17.90, 9780907845645 (pbk), *Societas* V.6

The Case Against the Democratic State
Gordon Graham

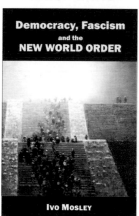

This essay contends that the gross imbalance of power in the modern state is in need of justification and that democracy simply masks this need with the illusion of popular sovereignty. The book points out the emptiness of slogans like 'power to the people', as individual votes do not affect the outcome of elections, but concludes that democracy can contribute to civic education.

'Challenges the reigning orthodoxy'. *Mises Review*

'Political philosophy in the best analytic tradition… scholarly, clear, and it does not require a professional philosopher to understand it' *Philosophy Now*

'An excellent candidate for inclusion on an undergraduate syllabus.' *Independent Review*

£8.95/$17.90, 9780907845386 (pbk), *Societas* V.3

Off With Their Wigs!
Charles Banner and Alexander Deane

On June 12, 2003, a press release concerning a Cabinet reshuffle declared as a footnote that the ancient office of Lord Chancellor was to be abolished and that a new supreme court would replace the House of Lords as the highest appeal court. This book critically analyses the Government's proposals and looks at the various alternative models for appointing judges and for a new court of final appeal.

'A cogently argued critique.' *Commonwealth Lawyer*

£8.95/$17.90, 9780907845843 (pbk), *Societas* V.7

Universities: The Recovery of an Idea
Gordon Graham

Research assessment exercises, teaching quality assessment, line management, student course evaluation, modularization, student fees – these are all names of innovations in modern British universities. How far do they constitute a significant departure from traditional academic concerns? Using some themes of J.H. Newman's classic *The Idea of a University* as a springboard, this book aims to address these questions.

'Those who care about universities should thank Gordon Graham.' **Anthony O'Hear**, *Philosophy*

'Deserves to be widely read.' *Political Studies Review*

'It is extraordinary how much Graham has managed to say (and so well) in a short book.' **Alasdair MacIntyre**

136 pp. *Societas*, Vol.1, subscription (retail edn: 9781845401009, £14.95/$29.90)

The Liberty Option
Tibor R. Machan

The Liberty Option advances the idea that it is the society organised on classical liberal principles that serves justice best, leads to prosperity and encourages the greatest measure of individual virtue. The book contrasts this Lockean ideal with the various statist alternatives, defends it against its communitarian critics and lays out some of its more significant policy implications. The author teaches ethics at Chapman University. His books on classical liberal theory include *Classical Individualism* (Routledge, 1998).

'The arguments are anchored largely in American politics, but have a wider resonance. A good read.'
Commonwealth Lawyer

£8.95/$17.90, 9780907845638 (pbk), *Societas* V.5

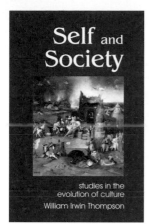

Self and Society
William Irwin Thompson

The book is a series of essays on the evolution of culture, dealing with topics including the city and consciousness, evolution of the afterlife, literary and mathematical archetypes, machine consciousness and the implications of 9/11 and the invasion of Iraq for the development of planetary culture. The author is a poet, cultural historian and founder of the Lindisfarne Association. His sixteen books include *Coming into Being: Artifacts and Texts in the Evolution of Consciousness*.

£8.95/$17.90, 9780907845829 (pbk), *Societas* V.9

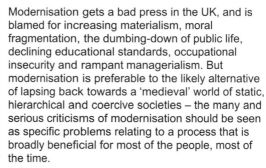

The Modernisation Imperative
Bruce Charlton & Peter Andras

Modernisation gets a bad press in the UK, and is blamed for increasing materialism, moral fragmentation, the dumbing-down of public life, declining educational standards, occupational insecurity and rampant managerialism. But modernisation is preferable to the likely alternative of lapsing back towards a 'medieval' world of static, hierarchical and coercive societies – the many and serious criticisms of modernisation should be seen as specific problems relating to a process that is broadly beneficial for most of the people, most of the time.

'A powerful and new analysis'. **Matt Ridley**

£8.95/$17.90, 9780907845522 (pbk), *Societas* V.8

Why the Mind is Not a Computer
Raymond Tallis

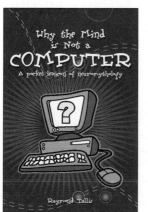

The equation 'Mind = Machine' is false. This pocket lexicon of 'neuromythology' shows why. Taking a series of keywords such as calculation, language, information and memory, Professor Tallis shows how their misuse has a misled a generation. First of all these words were used literally in the description of the human mind. Then computer scientists applied them metaphorically to the workings of machines. And finally the use of the terms was called as evidence of artificial intelligence in machines *and* the computational nature of thought.

'A splendid exception to the helpless specialisation of our age' **Mary Midgley**, *THES*

'A work of radical clarity.' *J. Consciousness Studies*

£8.95/$17.90, 9780907845942 (pbk), *Societas* V.13

Our Last Great Illusion
Rob Weatherill

This book aims to refute, primarily through the prism of modern psychoanalysis and postmodern theory, the notion of a return to nature, to holism, or to a pre-Cartesian ideal of harmony and integration. Far from helping people, therapy culture's utopian solutions may be a cynical distraction, creating delusions of hope. Yet solutions proliferate in the free market; this is why therapy is our last great illusion. The author is a psychoanalytic psychotherapist and lecturer, Trinity College, Dublin.

'Challenging, but well worth the engagement.' *Network*

£8.95/$17.90, 9780907845959 (pbk), *Societas* V.11

God in Us: A Case for Christian Humanism
Anthony Freeman

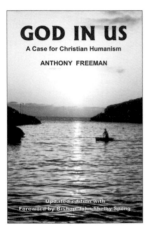

God In Us is a radical representation of the Christian faith for the 21st century. Following the example of the Old Testament prophets and the first-century Christians it overturns received ideas about God. God is not an invisible person 'out there' somewhere, but lives in the human heart and mind as 'the sum of all our values and ideals' guiding and inspiring our lives.

The Revd. Anthony Freeman was dismissed from his parish for publishing this book, but remains a priest in the Church of England.

'Brilliantly lucid.' *Philosophy Now*
'A brave and very well-written book' *The Freethinker*

£8.95/$17.90, 9780907845171 (pbk), *Societas* V.2

Societas: Essays in Political and Cultural Criticism

The books in this pamphlet are available retail at the price of £8.95/$17.90 from your local bookshop, or using the order form in the main Imprint Academic catalogue, or online at **imprint-academic.com/books**. See also our larger catalogue of monographs, collected essays and periodicals in philosophy, politics, psychology and cultural and religious studies.

However you can obtain the current volume (and back issues) on bi-monthly subscription for only £5/$10, using the direct debit form on the back of this brochure. Updates at **imprint-academic.com/societas** (overseas readers can subscribe via our credit card direct debit scheme.)

IMPRINT ACADEMIC, PO Box 200, Exeter, EX5 5HY, UK
Tel: (0)1392 851550   Fax: (0)1392 851178   sandra@imprint.co.uk

Cover painting: 'The Tryst' by John B. Harris

To qualify for the Direct Debit subscription rate, we will debit your account £5.00/$10.00 when each new book is despatched (every two months). We will supply you with details of the next title at the same time, so if you want to unsubscribe you can cancel the mandate at any time.

☐ Please register my *Societas* subscription, starting with the current title (see month of publication on p. 2–6 or at **imprint-academic.com/societas**). I would also like to order the following backlist titles for **only £2.50/$5.00 each.**

IMPRINT ACADEMIC

Instruction to your Bank or Building Society to pay by Direct Debit

Please fill in the form and send to Imprint Academic, PO Box 200, Exeter EX5 5YX

DIRECT Debit

To: The Manager

Bank/Building Society

Address

Postcode

Name(s) of Account Holder(s)

Branch Sort Code

Bank/Building Society account number

Originator's Identification Number

6 | 3 | 0 | 4 | 9 | 4

Reference

Instruction to your Bank or Building Society

Please pay Imprint Academic Direct Debits from the account detailed in this instruction subject to the safeguards assured by the Direct Debit Guarantee. I understand that this instruction may remain with Imprint Academic and, if so, details will be passed electronically to my Bank/Building Society.

Signature(s)

Date

Banks and Building Societies may not accept Direct Debit Instructions for some types of account

DDI5

Name.

Address *

Home telephone

E-mail.

Send completed form to Imprint Academic, PO Box 200, Exeter EX5 5HY, UK